LITURGIA

con estilo y gracia

LITURGIA

con estilo y gracia

Gabe Huck y Gerald T. Chinchar

Edición en español preparada por

Miguel Arias y Arturo J. Pérez-Rodríguez

LTP

LITURGY
TRAINING
PUBLICATIONS

Reconocimientos

La fuente de las citas impresas en el libro aparece en la página 131. Incluimos también un listado de recursos adicionales el cual aparece en la página 128.

LITURGIA CON ESTILO Y GRACIA © 2001, Arquidiócesis de Chicago: Liturgy Training Publications, 1800 North Hermitage Avenue, Chicago IL 60622-1101; 1-800-933-1800; orders@ltp.org; facsímil 1-800-933-7094. Derechos reservados. Dirección electrónica: www.ltp.org.

Este libro fue traducido y editado por Miguel Arias. Los autores de la edición en inglés son Gabe Huck y Gerald T. Chinchar. La edición en español estuvo a cargo de Miguel Arias y Arturo J. Pérez-Rodríguez. Kris Fankhouser fue el editor de producción, con la asistencia de John Lanier y Roberto Gutiérrez. El Artículo sobre la inculturación fue escrito por Miguel Arias, así como la lista de recursos. Larry Cope y Kristyn Kalnes diseñaron este libro. Jim Mellody-Pizzato estuvo a cargo de la tipografía Sabon y Baker Signet. Este libro fue impreso por Von Hoffmann Graphics, Inc. de Eldridge, Iowa. El arte utilizado en el interior y en la portada fue creado por Jorge Enciso, de *Design Motifs of Ancient Mexico*, de Dover Publications, Inc.

Expresamos el más cordial de nuestros agradecimientos a los autores, así como a las editoriales que amablemente nos otorgaron el permiso de incluir su trabajo en este libro. Hemos hecho todos los esfuerzos posibles para la determinación legítima del propietario de los derechos del autor en todos los textos, así como los acuerdos necesarios para su trabajo reimpreso. Now compretemos a corregirlo en ediciones futuras, siempre y cuando nos lo hagon saber.

Número de catálogo en la Biblioteca del Congreso: 2001012345

05 04 03 02 01   5 4 3 2 1

ISBN 1-56854-353-0

SLSG

Cada iglesia se reúne con regularidad para alabar y dar gracias a Dios,

para recordar y actualizar sus obras maravillosas,

para orar en comunidad,

para realizar y celebrar el reino de paz y justicia.

A tal acción de la asamblea cristiana se le da el nombre de liturgia.

La Ambientación y el Arte en el Culto Católico, 9

Índice

Antes de que iniciemos

El nombre de *Liturgia con estilo y gracia* responde a una encarnación de la visión de la liturgia. Este libro explora algunas de las maneras en que las personas utilizan sus talentos para reconocer la presencia y acciones de Dios en su propia vida. A lo largo de todo este libro se encuentra implicada la convicción de que en estos gestos humanos, Dios nos bendice. Como cristianos, estamos convencidos de que el Misterio Pascual de Jesús afectó de manera positiva y definitiva el curso de la historia humana. Nuestra celebración de la liturgia provee al pueblo de Dios y pueblo sacerdotal, una manera de pedir a esta Realidad Salvadora que nos toque y nos transforme.

En el curso de este libro, una y otra vez hablamos de las acciones humanas que realizamos en la liturgia. Tales acciones no surgen o llevan al drama o la poesía misma, sino que, a través de estas formas de arte, las acciones se tornan en parte importante de la plenitud humana. Intencionalmente, aprovechamos lo mejor de nosotros mismos pidiendo así que la gracia de Jesús venga a nosotros y al medio en que vivimos.

Por lo tanto, éste es un libro para miembros del equipo de liturgia parroquial y para las personas que coordinan la liturgia en las comunidades de fe, para todas las personas cuyo ministerio tiene algo que ver con la liturgia, más aun, para cualquier persona que desee aprender más sobre la liturgia. Es también para los que recién han llegado a la parroquia o a la vida ministerial y desean refrescar su memoria. Puede usarse de manera individual o grupal. Puede leerse en grupo y dialogar sobre cualquier capítulo o sección que se crea conveniente o necesario.

En estas páginas estudiaremos la liturgia como "algo" que la gente hace. Hasta cierto punto, nuestro acercamiento no es desde la teología, desde la historia, o desde la legislación de la Iglesia. Todos estos aspectos son de suma importancia, crucial para un entendimiento pleno de la liturgia.

Pero antes de que estudiemos nuestra teología, antes de que tengamos un sentido de nuestra historia, antes de que trabajemos con la legislación de la Iglesia, debemos saber claramente de lo que hablamos: debemos conocer la liturgia como actividad humana. Cuando vivimos plenamente la temporada del Adviento, cuando somos testigos de una boda, cuando cantamos el Gran Amén o caminamos en procesión para recibir la comunión, cuando hacemos la señal de la cruz . . . en todos estos signos estamos haciendo algo que es parte de las formas de expresión humana de los individuos y de una comunidad, estamos haciendo un ritual. Los ministros y coordinadores de la liturgia que tienen un sentido claro de cómo las formas que utilizamos en el ritual son formas de expresión humana y al mismo tiempo cristianas, tienen un contexto fuerte para realizar su tarea.

Lo que se presenta es una visión general. Consiste en señalar ciertos aspectos de la liturgia, y posiblemente despertar el deseo de entender y apreciar aun más la liturgia. La calidad de nuestra oración común de la liturgia algunas veces no es tan fuerte como debiera ser, no por la falta de espiritualidad o fundamentos de teología, sino porque algunas veces realizamos nuestras actividades sin haber meditado profundamente en ellas. En ocasiones olvidamos que la liturgia es nuestra acción común; dejamos a un lado las acciones litúrgicas para que los profesionales y académicos piensen y reflexionen sobre ella. Por ejemplo, es muy posible que en el espacio en el que celebramos nuestra liturgia cada domingo, no nos sintamos en casa. Posiblemente este libro es simplemente para ayudarnos a sentirnos más en casa con la liturgia.

No encontrarás programas completos ni un análisis detallado en este libro. En vez de esto, abrimos un espacio de reflexión acerca de los asuntos prácticos de nuestra liturgia. Si este libro se utiliza en grupo, encontrarán pensamientos y acuerdos comunes, incluso un vocabulario común, que luego servirá de herramienta para la liturgia.

Algunas veces, las personas que trabajan en la liturgia están muy ocupadas con los detalles y no se han dado la oportunidad de clarificar una visión de conjunto. La tarea de este libro es ofrecer a los coordinadores y a los ministros una manera de compartir el sentido y las expresiones de la vida litúrgica de la parroquia.

Los artículos se han agrupado en seis unidades, seguidas de una bibliografía que servirá como una herramienta de consulta.

- *Los elementos esenciales*. Algunos pensamientos básicos sobre la liturgia y la vida cristiana.

- *Los elementos de la liturgia*. Oramos juntos con las palabras, sonidos, gestos, lugares y objetos. Esta unidad habla sobre cada uno de estos y de la manera en que se unen en la liturgia.

- *¿Quién hace la liturgia?* Encontrarás artículos sobre la asamblea y los diferentes ministerios: el que preside, los proclamadores, ujieres y demás ministros.

- *La Misa*. La Misa es el rito que experimentamos con más frecuencia. Aunque es una celebración completa y con unidad propia, aquí la consideramos en cada una de sus partes.

- *Días y estaciones*. La oración tiene ritmos a través de los días y los años. Esta unidad es una introducción a las estaciones litúrgicas.

- *Los ritos de la Iglesia*. Hay consideraciones de las liturgias que marcan la iniciación, el matrimonio, la unción y otras ocasiones importantes de la vida cristiana.

- *Recursos*. Proveemos una bibliografía al final para dejar en claro que aún hay mucho que aprender sobre la liturgia y, al mismo tiempo, como una guía para profundizar más en los temas que se han presentado.

Después de cada artículo, ofrecemos una serie de preguntas que ayudarán a profundizar a través del diálogo en el grupo. La columna que aparece en la página derecha provee citas que complementan el tema que se ha tratado. Algunas de éstas son de documentos de la Iglesia, de himnos antiguos, de la poesía y la literatura; quizá unas pocas son de los expertos en la liturgia. Estos elementos tienen como finalidad motivar a una exploración más profunda sobre algún aspecto de la liturgia al mismo tiempo que invitan a una evaluación sobre la manera en que se realiza la liturgia en tu comunidad.

Cuando se utilice este libro en grupo, los coordinadores deberán generar más preguntas que las que hemos presentado, de tal manera que refleje la realidad de su experiencia y necesidades. Sugerimos que se dé tiempo suficiente en las sesiones de grupo para que los participantes traigan a la mesa los puntos sobre los que se necesita dialogar o acordar. Será muy positivo motivar a los presentes a que anoten sus reflexiones y preguntas en un cuaderno y los compartan con sus compañeros(as) de ministerio, de igual manera para que escriban sus propias notas al margen de los textos señalados.

Ya sea que estés leyendo este libro de manera individual o lo estén reflexionando en grupo, nuestra esperanza es que a través de él se estimule el diálogo y que lleve a un compromiso más profundo con la liturgia y a un reconocimiento de la gracia de Dios que nos encontrará al "partir el pan".

Los elementos esenciales

Antes de reflexionar en cualquier símbolo de nuestra liturgia, cabe señalar que consideramos la naturaleza fundamental de los mismos como parte de la vida humana y como parte de nuestra herencia religiosa. Nuestros símbolos nos congregan, uniéndonos no solamente con los que se han ido antes de nosotros marcados con el signo de la fe, y aquellos que peregrinan por el mundo, sino conectándonos unos a otros por medio de la fe. Nuestros símbolos portan la tradición a través del tiempo y el espacio, incluso dirigiéndonos al origen y fuente de la vida y la gracia.

Lo que creemos y esperamos

Lo mejor de las tradiciones judías y cristianas les dice a aquellas personas preocupadas por la manera en que oramos, que lo mejor que podemos hacer es *tener cuidado*. Tener cuidado de no olvidar que las oraciones que hacemos juntos no son la religión. Tener cuidado de la manera tramposa en que las apariencias y las realidades se presentan una vez que ésas se mezclan. Tener cuidado de pensar que la oración consiste en reglas, métodos o dones especiales de formación.

Esta línea de pensamiento corre a través de las escrituras. En la visión de Isaías, el Señor dice: "Cuando rezan con las manos extendidas, aparto mis ojos para no verlos; aunque multipliquen sus plegarias, no las escucho porque hay sangre en sus manos" (Isaías 1:15).

Así como cualquier persona que trabaja en la liturgia sabe que ésta se puede convertir en su propio mundo pequeño. Sabemos, por ejemplo, que la belleza de la expresión musical es un elemento normal de la liturgia. Aun así, sabemos que la belleza por sí sola no crea la liturgia. De igual manera, si la liturgia se convierte únicamente en un asunto de leyes y rúbricas a seguir, se le puede vaciar del espíritu de oración, de su propia identidad. Sin embargo, siendo lo que somos, necesitamos las leyes y las rúbricas, las formas y tradiciones que se han transmitido de generación en generación.

Los escritos y hechos de nuestros santos nos dicen que lo más delicado de la liturgia es algo más allá de la belleza y más allá de la ley. Un pueblo que celebra la liturgia con fuerza es un pueblo cuya vida necesita los rituales de la liturgia.

Ahora es posible escoger y planear las cosas de manera razonable, bien ajustadas, posiblemente en medio de una vida próspera que no necesita oración. La persona cuya vida es así puede poner la liturgia de lado o convertirla en una exhibición de arte o en un sistema que intenta mantener feliz a Dios.

Pero una manera más humana de forjar un estilo de vida más humano, es aquel que necesita de la oración y el ritual. La oración tiene dos dimensiones: nuestro diálogo personal con el Señor y la repetición de los modelos que nuestra tradición nos presenta. El ritual abraza estos modelos de oración y los estructura para mantener el espíritu de las fiestas y estaciones, de ayuno y proclamación de la Escritura, de la profesión de nuestra fe y de nuestra renuncia al mal.

El ritual y la oración no deben estar presentes en nuestra vida como algo obligatorio, como educación o como una forma de entretenimiento. No son una forma mágica que nos conduce a la salvación. Existen porque los necesitamos, porque sin ellos no podemos ser nosotros mismos, no podríamos ser la Iglesia.

La liturgia es el conjunto de los diferentes ritos de la Iglesia, la actividad de la asamblea reunida. Esto es lo que nosotros, los bautizados, necesitamos hacer, los cantos que necesitamos cantar, las palabras que necesitamos escuchar, los gestos que necesitamos hacer. *Necesitamos* porque sin ellos, no podemos conformar nuestra vida con el modelo propuesto por el Evangelio. En la liturgia nos convertimos en lo que debemos ser. La inmersión en las aguas del bautismo es la muerte del mal en toda nuestra vida, y es la nueva vida que tenemos en Cristo. La fracción del pan y el compartir del cáliz en la eucaristía son el sacrificio y el compartir que estamos llamados a hacer para el mundo.

La experiencia de nuestra gente ha sido que el resultado de una vida de fidelidad al Señor y de constante amor llama a una expresión ritual, sostenida y alimentada por el mismo ritual. Somos sostenidos cuando el ritual se ha enraizado en la parte más profunda de nuestro ser, cuando en su belleza y simplicidad nos puede llevar y formar.

Dentro de nuestra tradición, el ritual y la vida no son dos elementos extraños entre sí; por el contrario, se crean, alimentan y sostienen mutuamente.

1. ¿Quiénes son tus santos—ya sea que estén canonizados o no, dentro de la Iglesia o fuera de ella—cuyo ejemplo te ha enseñado la belleza, fuerza y poder transformador de la liturgia? Piensa en la manera en que tu participación en la liturgia te ayudaría a seguir su ejemplo.

2. Cuando piensas que los rituales de la Iglesia sólo son cosas que "debes" hacer, significa que "algo" necesita cambiar. Posiblemente es algo del ritual, tal vez algo de tu vida. Posiblemente ambas cosas. ¿De qué manera te puedes envolver más en los ritos de la Iglesia?

Cada individuo que forma parte de la comunidad de creyentes está consciente de la unidad que comprehende esta realidad en múltiples ocasiones, principalmente en la liturgia. En ella se encuentran frente a frente con Dios, no como una entidad, sino como miembros de una unidad total. Es esta unidad la que se dirige a Dios; aquí el individuo escasamente habla, y requiere que él o ella sepan que son miembros de tal unidad.

Es en este plano de las relaciones litúrgicas donde el individuo experimenta el sentido del seguimiento religioso. El individuo, hombre y mujer—si es que quieren tomar parte en la celebración de la liturgia— deben darse cuenta de que actúan y oran como miembros de la Iglesia. Ellos, y la Iglesia con ellos, deben saber que en su unidad más alta es uno con el resto de los fieles, y por lo tanto, ambos deben estar dispuestos a serlo.

Romano Guardini

Nos expresamos en símbolos

El tipo de oración con el que los coordinadores y ministros de la liturgia están propiamente comprometidos envuelve a muchas personas. Éste es el ritual de la comunidad, de una asamblea. El ritual de una asamblea no es igual al de 10 ó 100 personas, orando cada uno por separado en el mismo espacio y al mismo tiempo. El ritual comunitario puede realizarse en todo tipo de ocasiones, desde las fiestas de cumpleaños hasta los velorios, desde un juego de fútbol hasta las guerras. Los rituales son formas por las cuales la gente expresa actitudes y sentimientos comunes, así como entendimientos, y como resultado van más allá de las palabras, las trascienden.

Pensemos en una boda. Cualquier tipo de sociedad posee maneras de expresar lo que significa la unión de un hombre y una mujer. En algunas ocasiones estas expresiones pueden seguir vigentes después de que se ha olvidado su significado original. (¿Sabes qué significó para la primera persona el cargar a la novia en brazos hasta el lecho que lo hizo?).

Generalmente, hay muchas series de actividades (con palabras, símbolos, acciones, objetos) que convergen más allá de cualquier idioma filosófico, religioso o sociológico, lo que esta sociedad considera que significa el matrimonio. En sí, estas cosas simplemente son elementos de la vida (un anillo, un beso, el vals, la unión de las manos), pero en el contexto de la sociedad en que vivimos, estos elementos tienen todo tipo de significados que expresan más allá de las palabras lo que el matrimonio significa. Estas acciones y objetos rituales fortalecen el sentido del matrimonio para la pareja que lo contrae y para los que son testigos de esa unión.

Algunas veces tenemos la tentación de tratar este asunto del ritual como algo secundario. Durante el Adviento, a veces escuchamos que la corona de Adviento en forma de círculo significa esto y que las velas significan esto otro. Ciertamente hay un valor en contar la historia que hay detrás de la corona de Adviento y aquellos significados que están presentes de manera profunda. Pero la fuerza del ritual puede disminuirse si lo usamos como si estuviéramos enseñando una lección, o como una ecuación matemática donde cada elemento tiene un valor exacto. El ritual va mucho más allá, es mucho más profundo. Cuando se realiza de todo corazón y como es debido, el ritual toca muchas capas de nuestra persona al mismo tiempo.

Es escasamente cierto, por ejemplo, decir que el anillo de bodas, un círculo, significa que la unión es para siempre, o que es el signo de que estas dos personas se han unido para siempre. El anillo no es realmente el símbolo que realiza la acción en este ritual: es la acción de dar el anillo, el ponerlo en el dedo de la otra persona, el llevarlo siempre. ¿Quién puede decir con palabras el sentido completo de eso? Los rituales nunca son unidimensionales, nunca son un solo objeto o una sola palabra. Dentro de una comunidad de personas que comparten la misma visión, ideales y sentido de la vida, los rituales cobran muchas dimensiones. Los rituales siempre son inseparables de los seres humanos que los llevan a cabo. Los rituales son siempre ambiguos, desafiándonos a clasificarlos o a explicarlos.

En el ejemplo de la corona de Adviento, no es lo que las velas puedan decirnos lo que hace que esto sea un ritual, eso es, nuestra esperanza incorporada en un símbolo. Más aun, lo que hace que la corona sea un ritual es la proclamación de una oración especial: el encender reverentemente las velas en la oscuridad, en medio de un silencio que se rompe gentilmente con las palabras y con la música que lleva el sentimiento y el ritmo del ciclo de la luz y la oscuridad en nuestra vida.

Los símbolos portan nuestras convicciones y nuestras esperanzas; los llevan, no se quedan en ellos. Los símbolos no son cosas que podemos hacer a un lado en la mesa, o separarlos y estudiarlos. Son cosas que nosotros hacemos y, por lo tanto, ellos mismos se entrelazan con nuestra vida. Es entonces cuando se convierten en símbolos. Solamente entonces ellos pueden expresar lo que nosotros creemos y esperamos y, al mismo tiempo, fortalecer en nosotros el verdadero sentido y la esperanza que abrigamos en el corazón.

El ritual de la Iglesia —la gente reunida— tiene tanto de ritual como lo tiene una fiesta de cumpleaños o una inauguración, pero se distingue de ambos porque lo que la liturgia expresa en símbolos, es lo que estas personas creen que es el corazón de toda su existencia. Todas aquellas personas que creen en lo mismo y pertenecen a una Iglesia común comparten ciertas cosas (estructuras del gobierno de la Iglesia, una moral y un credo), pero ninguna de éstas pueden sostener por sí solas a una comunidad ni sostener su fe. Solamente sus rituales, la expresión simbólica de lo que ellos creen y esperan, pueden hacerlo.

1. Los símbolos han llevado la tradición cristiana de una generación a otra. Por siglos y siglos han tenido la fuerza para hacerlo porque ellos son parte integral de nuestra vida. ¿Cuáles signos reflejan más profundamente los sentidos y esperanzas de tu vida personal, familiar y comunitaria? ¿Cómo se manifiestan?

El hombre posee este don extraordinario: puede hacer de un objeto un símbolo y de una acción un rito. Demos un ejemplo: tomar mate. Cuando alguien nos visita, en el sur del Brasil, nos sentamos con él, cómodamente, al fresco y le ofrecemos mate caliente. Se toma, no por calmar la sed, ni por el gusto del sabor amargo, ni porque "libre a la gente de cualquier indigestión", sino porque la acción posee otro sentido, ya que se trata de un acto ritual para celebrar el encuentro y saborear la amistad. El centro de las atenciones no está en la bebida, sino en la persona; la bebida desempeña una función sacramental.

Leonardo Boff

Alguien que piensa que el símbolo y la realidad se excluyen mutuamente debe evitar la liturgia. Alguien así, también debe evitar la poesía, los conciertos, el teatro, el lenguaje, el amar a otra persona, y cualquier otro intento de comunicarse con otro ser humano. El símbolo es la realidad en su grado más intenso de expresión.

Uno descansa en el símbolo cuando la realidad supera todas las formas del discurso. Regularmente esto sucede cuando nos acercamos a Dios por medio de los demás, como lo hacemos en la liturgia. Así pues, el símbolo es esencial a la liturgia como la metáfora lo es al lenguaje. Uno aprende a vivir con el símbolo y la metáfora o renunciamos a la capacidad de hablar a través de nuestra liturgia comunitaria.

Aidan Kavanagh

Símbolos portadores de la tradición

Los símbolos con los cuales la Iglesia expresa su oración no son muchos, ni están muy lejos de los detalles de la vida ordinaria. No son propiedad exclusiva de las Iglesias cristianas; éstos pueden encontrarse en diferentes formas en muchas sociedades. De entre todos estos símbolos el más universal es el compartir un alimento sagrado, el rito de comer juntos fortalece la unidad de aquellos que toman parte en él y la unidad con su Dios. En la tradición judía, la cena sagrada ha tomado muchas formas, cada una de ellas manifiesta el sentido de la historia y la fe de Israel. Un buen ejemplo de eso es la "cena del paso": una noche cuando la gente, reunida en sus propios hogares y compartiendo con aquellos que sufren necesidad, cuenta la misma historia, comparte los recuerdos del mismo sufrimiento, afirma la misma esperanza y toma parte de los mismos alimentos, que son ellos mismos ceñidos por la historia, la liberación y la esperanza.

Entre los judíos se ha desarrollado también un sentido profundo de santidad en cada alimento, en cada comida de fraternidad, como ocasiones constantes para alabar y dar gracias a Dios. Estas ocasiones normalmente serán las comidas familiares, pero algunas veces serán mucho más formales, cuando se reúnan grupos mayores de personas que comparten los mismos lazos. Entre los judíos, el desarrollo de rituales especiales tales como "el paso" y la bendición habitual de la comida en el hogar ha continuado. Para los cristianos, la memoria de la Última Cena de Jesús y otras ocasiones en las que bendijo el pan y lo partió para darlo a sus seguidores trajo un nuevo sentido al ritual de la comida judía. La primera Iglesia acostumbraba reunirse el primer día de la semana para "la fracción del pan". Y los años posteriores, a través de los malos entendimientos interpretaciones, lo básico del ritual continúa: la bendición del pan y el vino en la oración eucarística, esa es la oración de acción de gracias: la fracción del pan y el compartirlo junto con el vino. Las actitudes y énfasis han variado a través años, pero aun así, la tradición continúa. Los cristianos expresan su fe y vida común reuniéndose alrededor de la mesa para dar gracias por el pan y el vino y compartir el banquete del Señor.

Una vez realizada la acción de gracias por los dones de pan y vino, el comer y beber juntos es una parte vital y profunda de lo que implica ser humano: esto mismo hace que el ritual continúe para expresar nuestra vida como cristianos. Sus raíces están en el hambre: de alimentos, de estar unidos con las demás personas, hambre del Señor. Estos elementos no son algo estrictamente teórico, del dominio del místico o del teólogo, sino algo que nosotros sabemos y conocemos de primera mano, y dado que ellos son muy simples, podemos decir que son muy humanos.

La mayoría de estas características pueden aplicarse a otros símbolos que se han transmitido de generación en generación. El lavado bautismal con el agua, la imposición de manos en señal de bendición, sanación y envío; la unción con el aceite, el canto de alabanza a Dios por la mañana y por la tarde: éstos son distintivos de la Iglesia. Estos elementos han llevado la fe a través de los siglos.

En la reciente renovación de la liturgia, no se ha tratado de reemplazar ninguno de los símbolos con sustitutos "contemporáneos". Más bien, tal renovación está cimentada en la fidelidad a estos ritos básicos, que más allá de las estructuras y credos, dan identidad a la Iglesia. La reforma y renovación de nuestros ritos son esfuerzos para liberar nuestros símbolos de las cosas que les impiden desarrollar su función: para liberarlos de la realización mecánica y rutinaria, de la superstición, de los ministros a los que se les asignan ministerios sin considerar sus talentos, liberar a la gente de su mentalidad de espectadores. La renovación consiste en liberar a nuestros símbolos para que sean lo que están destinados a ser: expresiones vivas de la fe de un pueblo. La renovación tiene que ver con la gente, con nosotros, quienes poseemos la plenitud de la oración cristiana. La renovación tiene que ver con la Iglesia cuyo alimento de comunión, baño bautismal e imposición de manos para sanar y perdonar, son las expresiones más profundas de lo que hemos sido, lo que somos ahora y lo que esperamos ser.

Aquellos que trabajan por tener una buena liturgia algunas veces pueden pensar que éste es un ejercicio de interpretación: educar a la gente de tal manera que pueda traducir los símbolos a un lenguaje teológico. Esto no es así. Una buena liturgia implica el no dar explicaciones, porque no son necesarias, dado que el símbolo y la historia que hay detrás de él se han realizado de una manera plena, llena de fe y de fuerza. Esto sucede cuando nuestros ritos, que están cimentados en todo lo que significa ser humano, que dicen todo lo que significa ser cristiano, son plenamente nuestros para llevarlos a cabo.

1. Lo fundamental de una comida cristiana es el pan y el vino. Éstos son elementos, resultado del esfuerzo y participación humana: segar la cosecha, piscar las uvas y luego aplastarlas, amasar la pasta, hornearla. Considera la manera en que la comida rápida te separa del proceso humano y la manera en que ésta afecta nuestra noción y experiencia del alimento de vida en la Iglesia, pueblo de Dios.

2. La cultura estadounidense nos lleva a creer que lo que es más fácil y más rápido siempre es mejor. ¿Con qué frecuencia abandonas la labor de la cocina— preparar vegetales, ensaladas e incluso, limpiar la cocina— para contrarrestar el auge de la comida rápida? ¿Tu fe paga algún tipo de precio debido a las "conveniencias" de nuestra cultura?

La liturgia, como acción de Cristo y de la Iglesia, es el ejercicio del sacerdocio en Jesucristo; es cumbre y fuente de la vida eclesial. Es encuentro con Dios y con los hermanos; banquete y sacrificio realizado en la Eucaristía; fiesta de comunión eclesial, en la cual, el Señor Jesús, por su misterio pascual, asume y libera al pueblo de Dios y por él a toda la humanidad cuya historia es convertida en la historia salvífica para reconciliar a los hombres entre sí y con Dios. La liturgia es también fuerza en el peregrinar, a fin de llevar a cabo, mediante el compromiso transformador de la vida, la realización plena del Reino, según el plan de Dios.

Puebla, 918

Lo sagrado no es algo institucionalizado ni puede institucionalizarse. La gente tiene su propia inspiración y su tesoro de expresiones de fe. En lo sagrado, la persona religiosa experimenta una proximidad con la naturaleza, aspecto en gran parte perdido en nuestra sociedad altamente industrial. Ante lo sagrado, la persona religiosa se convierte en protagonista en la liturgia, no en un mero espectador. La persona religiosa, especialmente, aunque no exclusivamente, bajo una crisis busca recibir del misterio encerrado en lo sagrado, la sanación de todas sus crisis. En lo sagrado, las categorías de la vida social por las cuales nos distinguimos unos de otros, tales como raza, denominación, clase social o económica, desaparecen porque todas las personas religiosas experimentan la unicidad de Dios.

Juan J. Sosa

Símbolos que porta la comunidad

Los coordinadores de la liturgia algunas veces se quejan de lo difícil que es tener una buena liturgia en parroquias muy grandes, donde las muchedumbres y la naturaleza impersonal parecen imponerse por tales números. Incluso en las comunidades pequeñas, las personas pueden llegar a sentir que tienen muy poco en común; es posible que no sientan la necesidad de ser una comunidad para orar juntos. Algunas veces nos preguntamos si una liturgia buena y consistente es compatible con las circunstancias de hoy. Muchas personas parecen estar contentas con lo mediocre; otros simplemente no quieren más "cambios". Pero la gente que ha tenido la experiencia de una liturgia bien realizada, con cuidado y reverencia y como una celebración real, pedirán mucho de cada persona a fin de experimentar la profundidad continua de una buena liturgia. Pero, ¿cómo podemos lograr esto?

Renovar el ritual de la Iglesia será una tarea muy grande. Tiene que serlo, porque no puede suceder por decreto o por la simple reforma de los libros litúrgicos. Tampoco puede ocurrir por sí mismo, sin los esfuerzos y movimientos que conducen a la gente al Evangelio y hacia la pertenencia a la Iglesia por medio de una iglesia local. De cualquier manera, esto no será liturgia si puede ser renovada por sí misma, alejada de la vida de la gente, de la Iglesia.

La liturgia es la acción de una comunidad: personas que comparten al menos algo de historia, pertenencia mutua, un sufrimiento común, una esperanza común. De hecho, la liturgia ayuda a construir la comunidad porque esto puede ser una afirmación profunda de lo que nosotros compartimos, de lo que nos mantiene unidos. Lo que aquí parece claro es la dificultad de que esta afirmación tome lugar a menos de que todos estemos familiarizados profundamente con nuestro ritual. La capacidad de una buena preparación y realización de la Liturgia Dominical en la parroquia (llevada a cabo con la participación plena de cada miembro de la asamblea) no garantiza una asistencia y aprovechamiento total si estas capacidades se utilizan solamente cuando hay una reunión grande en la iglesia. Estos actos (cómo cantar y alabar a Dios, cómo permanecer en silencio y reflexionar, cómo y con qué actitud escuchar la proclamación de la Escritura, cómo realizar nuestra oración común de acción de gracias) se practican de una mejor manera en grupos pequeños.

La oración de una comunidad más grande depende de la oración de las pequeñas comunidades (parejas, familias e individuos). De hecho, el apoyo a esta oración nunca debe estar lejos de aquellos que trabajan en la liturgia. Muchas formas de oración individual y familiar que una vez fueron muy comunes han desaparecido, y muy pocas han venido a reemplazarlas. Nuestra sociedad no nos motiva a tener ni a tomar las actitudes que la oración necesita. Pero también hay una parte muy pequeña de la sociedad contemporánea que satisface nuestra hambre de oración una vez que ésta es reconocida.

Necesitamos esta interdependencia entre los grupos pequeños y la comunidad entera.

¿Cómo podemos apropiarnos de lo que hacemos y proclamamos en la oración eucarística y en la santa comunión si no experimentamos diariamente en nuestra vida la necesidad de dar gracias a Dios por los alimentos y por el compañerismo? Esto no es cuestión solamente de una oración alrededor de la mesa, sino de todo lo que pasa en torno a la mesa: del cuidado que tenemos por compartir nuestros dones, de la acción de gracias que elevamos por los alimentos y la presencia de los demás, la forma en que atendemos a las necesidades de las demás personas, la reverencia que tenemos por el fruto de la tierra y el trabajo humano. ¿Cómo podemos apropiarnos de los salmos como cantos procesionales y de reflexión en la Liturgia Dominical si por lo menos algunos de ellos no son parte de la oración de los adultos o de los niños, o de algún rito semejante a su oración? ¿Puede un canto integrarse a la liturgia si no es parte de la oración que se realiza en casa?

En el hogar, ya sea una persona o varias reunidas, practicamos las cualidades de nuestro ritual (los elementos que conforman nuestra liturgia). Los símbolos de nuestra liturgia, como la acción de gracias o el comer el pan, están unidos a la vida corporal, a nuestro espíritu, a nuestro movimiento diario, desde nuestro nacimiento hasta la muerte. Aquí, en el corazón de cada persona, están los ritmos de oración que necesitan reunirse con los de una comunidad aun mayor.

1. Cuando pensamos en la larga y continua tarea de la renovación de los rituales de la Iglesia, puede parecer algo abrumador y pesado. Pero los cambios son graduales y se van incrementando poco a poco. En ellos, cada persona desarrolla una función y estos se van implementando poco a poco. Reflexionen en el grupo acerca de lo que ustedes, junto con el coordinador de liturgia, pueden hacer para contribuir a esta tarea.

2. El compartir los alimentos fortalece los lazos familiares y la vida entera. ¿Qué conexión encontramos entre la mesa de nuestro hogar y la mesa del altar del Señor?

Las acciones litúrgicas no son acciones privadas, sino celebraciones de la Iglesia, que es "sacramento de unidad", es decir, pueblo santo congregado y ordenado bajo la dirección de los obispos.

Por eso, pertenecen a todo el cuerpo de la Iglesia, influyen en él y lo manifiestan; pero atañen a cada uno de los miembros de este cuerpo, según la diversidad de órdenes, funciones y participación actual.

Constitución sobre la Sagrada Liturgia, 26

Así como la alianza misma, las celebraciones litúrgicas de la comunidad de fe (Iglesia) incluyen a la persona en su totalidad. No son ejercicios puramente religiosos, simplemente racionales o intelectuales, sino también vivencias en las que entran en juego todas las facultades humanas: cuerpo, mente, sentidos, imaginación, emociones, memoria. Por lo tanto, el dar atención a estos aspectos constituye una de las necesidades más urgentes de la renovación litúrgica contemporánea.

La Ambientación y el Arte en el Culto Católico, 5

Los elementos de la liturgia

El fragmentar una buena liturgia para ver qué es lo que hace que ésta sea buena crea siempre una respuesta incompleta. Aunque la liturgia en su totalidad es mayor que la suma de cada una de sus partes, en este capítulo veremos de manera cercana varios elementos con el fin de mejorar su implementación.

Hay que tener cuidado de nuestra propia humanidad—de las palabras diarias, los gestos ordinarios, nuestras canciones y los espacios en los cuales vivimos y trabajamos—pues de ella depende nuestra participación en el misterio de la encarnación. Por lo tanto, reflexionaremos en algunos de estos aspectos "ordinarios" de la liturgia: palabra, movimiento, música y ambientación. Estos elementos realizan su trabajo de una manera más clara cuando respetamos sus límites y sus posibilidades. Fluyen a través de todos los rituales de nuestra Iglesia, así como en la mayoría de sus ritos, dado que son expresiones humanas fundamentales.

Palabra I: La manera en que usamos las palabras en la liturgia

Algunas veces la renovación de la liturgia a partir del Concilio Vaticano II parece haber reducido la liturgia a las palabras. En muchos lugares, cuando se pide que haya momentos de silencio durante la liturgia, estos son demasiado cortos, y hay diálogos desde el inicio hasta el final. Algunas veces las palabras de las oraciones y las Escrituras se agregan no sólo a la homilía, sino también a una explicación repetitiva acerca del tema de la liturgia. Sabemos que la liturgia en latín, antes del Concilio, no solamente era impresionante sino llena de oración y sentido, aunque la asamblea no entendía una sola palabra. Sabemos que la liturgia no sólo trabaja o se realiza por medio de las palabras. Más que eso, somos conscientes de que si actuamos como si así fuera, como si la liturgia fuera sólo palabras, entonces dañaremos profundamente a las palabras mismas y a la liturgia misma.

Las palabras en la liturgia no son como las palabras del noticiero de la tarde, o como una conferencia que se dicta en el anfiteatro, o las palabras que utilizamos en la tienda o en el trabajo. ¿Cómo son pues estas palabras? Hay distintas maneras en las que usamos las palabras en otros rituales en la vida que manifiestan algo acerca de la manera en que usamos las palabras en la liturgia.

Consideremos el saludo y las aclamaciones. Tenemos rituales que utilizamos cuando saludamos a una u otra persona: "¿Cómo estás?" "¡Me da gusto verte de nuevo!" "¿Qué novedades tienes?" O simplemente "¡Buenos días!" También contamos con palabras rituales que utilizamos para nuestras despedidas, que a menudo acompañamos con un gesto, una palmada, un saludo o un beso. El contenido de las palabras que utilizamos para saludarnos o despedirnos rara vez tiene importancia: son fórmulas. ¿Eso significa que no son sinceras? ¡No del todo! ¿Es deshonesto desempeñar un papel o verbalizar una línea? ¿Acaso el actor Kenneth Branagh es falso cuando pasa a ser Hamlet? Obviamente, una persona puede dar un saludo falso, puede estar a millas de distancia en vez de estar presente, persona a persona, pero las palabras son las mismas. Son fórmulas que tenemos para comunicarnos, que se han quedado en nosotros por generaciones, para facilitar el primer y último movimiento que tengamos. Sucede lo mismo con las palabras en la liturgia. Son fórmulas y podemos decirlas sin ningún sentido, vaciarlas de él o, por el contrario, llenarlas con nuestra presencia. Usualmente las palabras pertenecen a la asamblea y al que preside. "La gracia y la paz . . . ", "Amén", "El Señor esté con ustedes", "Y con tu espíritu", "Vayamos en paz", "Demos gracias a Dios". Desempeñamos una función, verbalizamos una línea al momento de expresarlas, pero eso es precisamente lo que les da su gran potencial.

Otra manera ritual de utilizar las palabras en la liturgia es a través de las aclamaciones. Dada su naturaleza, éstas las pronuncia toda la asamblea, son las porras y los "vivas" de la liturgia. Son palabras rituales como "Aleluya", "Amén" y "Santo, Santo, Santo". En el curso de la liturgia, estas palabras deben aclamarse con fuerza, más aun, deben cantarse. Habrá más detalles sobre esto en las secciones sobre la música en la liturgia.

Existe otra manera de usar las palabras en la liturgia y es a través de oraciones dirigidas por la persona que preside. En la Misa hay la oración colecta, la oración sobre los dones, la oración eucarística y la oración después de la comunión. Estas aclamaciones son siempre dirigidas al Padre y con frecuencia son precedidas por un momento de silencio que nos prepara a escucharlas. Son pronunciadas por una persona, pero lo hace en nombre de toda la asamblea. Son palabras de la Iglesia con carácter de formalidad que están cimentadas en las Escrituras y en nuestra tradición.

Con el paso del tiempo, aprenderemos a saborear la belleza de nuestras oraciones con palabras que, al repetirlas, lejos de hacerse rutina, transmitirán siempre un nuevo sentido para quienes las pronuncian y escuchan.

Las letanías forman otro uso ritual de las palabras. El cantarlas va de acuerdo con su naturaleza, dado que las letanías se construyen en base a una continua repetición del estribillo. En la Misa, el rito penitencial se lleva a cabo en forma de letanía; las intercesiones generales y el "Cordero de Dios" también son letanías.

En la liturgia también se usan palabras a modo de invitación: "Oremos", "Demos gracias a Dios" y la invitación a unirnos en las plegarias u oraciones de intercesión, a intercambiar un saludo y sonrisa de paz, y para unirnos a la procesión para recibir la comunión. Todas las palabras que se utilizan para estos momentos forman parte de este grupo.

La invitación ayuda a centrar nuestra atención y nos llama a enfocarnos en lo que estamos supuestos a hacer.

Las palabras en la liturgia tienen todo tipo de usos. En la planeación de una liturgia buena y consistente para la comunidad, vale la pena saber la manera precisa en que las palabras deben utilizarse.

El detenernos de vez en cuando para reflexionar en la liturgia misma y ponderar los diferentes sentidos de las palabras nos ayudará a enfocar nuestra intencionalidad en la liturgia, de tal manera que la asamblea participe en la liturgia de una manera plena, consciente y activa.

Muchas de las palabras que utilizamos en la liturgia se repiten con mucha frecuencia, en ocasiones en el mismo acto litúrgico y en otras cada semana. Haciendo uso de estas palabras una y otra vez nos familiariza con ellas y nos hace sentir en casa. La familiaridad con estas palabras nos da la libertad de orar con ellas de una mejor manera. Pero también existe un peligro en estas palabras rituales. Podemos usarlas una y otra vez hasta hacer que pierdan su sentido y se conviertan en palabras huecas, a menos de que hagamos un esfuerzo consciente por evitar esta situación.

1. ¿Hay palabras que forman los rituales comunes que se han convertido en pronunciaciones mecánicas y vacías de sentido? ¿Algunas de ellas son vivas y llenas de sentido? Cita algunos ejemplos.

2. ¿De qué manera puede ayudar la música a estas palabras?

3. ¿Qué valores has experimentado en el uso de palabras rituales llenas de sentido?

4. ¿Hay algún proceso que se pueda seguir con el fin de evitar que estas palabras pierdan su sentido y que las vaciemos de su significado y resonancia en nuestra vida? ¿Cuál?

El vocablo hebreo que designa "palabra" es *dabar*, que significa "acción" y a la misma vez "palabra". Por esta definición, las palabras no son sólo meros sentidos o símbolos, sino acciones en sí mismas. En este punto, nuestra tendencia debe ser de ver tal asociación como algo poético solamente. Pero "palabra como acción" no es un concepto que se encuentra solamente en un pensamiento altamente intuitivo, característico del Medio Oriente, donde nacieron las Escrituras. Los expertos occidentales en lenguaje contemporáneo han formulado una visión similar. Han demostrado que las palabras no siempre son meros sonidos o símbolos escritos que refieren a algo. Un ejemplo sencillo: las palabras "Yo te bautizo" no se refieren simplemente a acciones; realizan las acciones que describen".

Aelred Rosser

La palabra es la misma persona, porque la palabra es, esencialmente, comunicación. Pero hay personas, pocas, que toman conciencia de esta profunda realidad. Para ellas la palabra se configura como algo absolutamente sagrado. La palabra merece respeto porque toda persona merece respeto. Para la gran mayoría, sin embargo, la palabra no pasa de ser un instrumento para comunicar mensajes, mensajes interesados, mensajes que, a veces, contaminan los canales de comunicación y de encuentro entre las personas. Hay palabras que se pronuncian para esconder los pensamientos en lugar de comunicarlos.

La palabra una vez pronunciada, sale, circula por todo el mundo, jamás se pierde porque alcanza al eterno y fija la persona en lo definitivo. La palabra escrita puede ser tachada, borrada, destruida. La palabra hablada, no. Es inviolable. Ya nadie la controla; es trascendente. Pronunciada en su densidad personal máxima, mantenida como se mantiene la vida y la honra, es por excelencia el sacramento comunicador y revelador de cada persona.

Leonardo Boff

Palabra II: Escritura y reflexión

En cualquier lugar que la Iglesia se reúne, compartimos historias acerca del sentido de la vida y del camino que la humanidad ha recorrido con Dios. Estas historias nos ayudan a entender la continua presencia de Dios con nosotros y por nosotros. En la experiencia de contar las historias sagradas, escuchamos la voz de Dios, y la Iglesia responde a este Dios siempre presente. En oraciones muy pequeñas—como las que recitamos al compartir los alimentos—nuestra respuesta puede caber en pocas palabras que hacen eco de algún canto u oración tomado de las Escrituras. Pero en la eucaristía, en la reconciliación, en la unción de los enfermos, bodas, oración matutina y vespertina, y en los funerales, las Escrituras se encuentran presentes como un elemento fundamental, es decir, como el fundamento de la liturgia.

¿De qué manera pensamos en la Escritura, en estas palabras del libro de la Iglesia que se proclaman y escuchan en la liturgia, como un recuento de nuestra vida con Dios?

La búsqueda popular de raíces nos hace ver que hay una historia que nos conecta con nuestro pasado y nos dice mucho de nuestra historia personal, una historia que nos identifica entre todos los seres humanos de la tierra. Cualquier tribu o pueblo que permanece unido estrechamente, en gran parte hace esto porque la historia que ellos continúan narrando les explica a ellos mismos y a sus hijos quiénes son. La mayoría de las veces, dicha historia envuelve una visión completa del mundo, incluyendo las relaciones entre las criaturas y el lugar de los dioses. No importa qué tan sofisticada esté nuestra sociedad, no perdemos esta necesidad de una historia común, como puede verificarse en las historias que se cuentan una y otra vez durante los días festivos a nivel nacional.

Existe también el fenómeno universal del cuento de hadas. Ellos crean un lenguaje universal, el cual transmiten los adultos de generación en generación en una historia común a todos los seres humanos: la lucha del bien y el mal, el sufrimiento de los inocentes, cosas que suceden fuera de nuestro control y la reivindicación del bien. Las historias hablan de estas situaciones en una manera tan especial que logran tocar la mente, el corazón y el espíritu.

Básicamente ésa es la razón por la cual nosotros continuamos leyendo las Escrituras. Crecemos en el ciclo de las historias de la fe. Probablemente la historia se presenta en forma de narración o puede que sea un canto, una genealogía, un conjunto de leyes, una exhortación, una visión, una advertencia, una parábola, una profecía. Estos son los componentes de la gran historia. La mayoría de los domingos leemos poco a poco, más o menos en orden, un trozo de los Evangelios y también de otros escritos apostólicos. Cuando se requiere la observancia de una ocasión especial, se leen algunas partes de nuestra historia que giran en torno a lo que celebramos ese día. Con frecuencia la lectura tomada del Antiguo Testamento encuentra una nota de eco con el Evangelio que se proclama ese día; hay cierta conexión entre ambas lecturas. Esto no indica que la primera lectura sea una mera preparación y la segunda una realidad. La Iglesia ha dicho claramente que la validez del Antiguo Testamento no se altera con la existencia de los Evangelios y otros escritos apostólicos. Al contrario, los Evangelios son un eco del Antiguo Testamento; por ejemplo, el Evangelio nos cuenta que Jesús sana un hombre sordo después de haber escuchado el Antiguo Testamento nos habla del Reino de Dios como un tiempo en el que los sordos van a oír. Esto pone de manifiesto la necesidad que los cristianos tenemos de conocer el Antiguo Testamento. Jesús y los apóstoles lo conocían profundamente. Si nosotros estamos abiertos a entender sus palabras y vidas, debemos hacer nuestras las Escrituras del Antiguo Testamento.

En muchas tribus, los abuelos y los ancianos cuentan la historia en momentos de festividad y preocupación. Han tenido que vivir la historia profundamente; saben que narra su vida de una mejor manera que cualquier autobiografía; por buena que ésta fuera, narra la vida del grupo en un nivel tan profundo que los hechos, las fechas y los lugares no pueden alcanzar. Por supuesto que esta historia no necesariamente es una función sujeta al tiempo. Nosotros confiamos nuestra historia a la gente, ancianos o no, que pueden capturar y mantener la atención de la asamblea, cuya vida refleja su amor por las Escrituras, que están profundamente conscientes de cómo esta historia y este pueblo son una misma realidad.

Otro uso de las palabras en la liturgia, relacionado siempre a la Escritura, es la homilía. Los homilistas reflexionan en nuestra vida y en las circunstancias de nuestro tiempo a la luz de la historia que hemos escuchado. Las palabras que se emplean en la homilía no son explicaciones académicas de la Escritura, o exhortaciones piadosas, o notas personales que están divagando en el aire. Una homilía debe lanzar el mensaje en uno de los muchos estilos que existen, pero su propósito es siempre el dejar que la manera en que las Escrituras han tocado al homilista encuentren eco en la asamblea que escucha y los abarquen a todos y todas, homilista y asamblea, por el misterio que se está celebrando.

1. Aun cuando escuchamos las Escrituras cada vez que nos reunimos para orar, toma mucho tiempo el hacerlas parte de nuestra vida. ¿Podemos facilitar las cosas para que las Escrituras penetren más en nuestra vida utilizando otros medios que no necesariamente son litúrgicos? ¿Cuáles? Aparte de la homilía, ¿De qué manera las Escrituras pueden ser parte de la vida comunitaria de la parroquia?

2. He aquí una técnica que utilizan las Comunidades Eclesiales de Base para desmenuzar los textos de la Escritura y comprender mejor su significado y mensaje, especialmente en las parábolas y las perícopas. Antes de ir a Misa, es recomendable que leas el Evangelio y las lecturas en su conjunto y, durante el transcurso de tu lectura, reflexiones en las siguientes preguntas:

    (a) ¿Cuáles son los personajes del texto? ¿Qué hacen? ¿Por qué están haciendo eso?

    (b) ¿Cuál es la actividad principal en torno a la que gira el texto completo?

    (c) ¿Qué me molesta o me pone nervioso de este texto? ¿Por qué?

    (d) ¿De lo que he leído en este texto, ¿cuáles palabras me dan esperanza?

    (e) ¿Qué "declaraciones de fe" provienen de este texto?

    (f) ¿Existe alguna manera de llevar la lección de este texto a la práctica?

La proclamación y la homilía tienen la finalidad de mover a quienes escuchan a hacer lo que escuchan. Tomando una frase del trabajo de san Agustín sobre la instrucción cristiana, "para que él a quien tú hablas, escuchando adquiera la fe, creyendo alcance la esperanza y teniendo la esperanza comience a amar" *(Primera Instrucción Catequética, 4)*. Por lo tanto, éste no es un momento para dar instrucción sobre la doctrina cristiana, sino para despertar la fe, la esperanza y el amor del pueblo de Dios para que así ellos proclamen, de palabra y obra, el misterio de fe.

Mark Searle

Cada domingo, cuando yo relato los hechos concretos de la semana, no soy más que un pobre adorador del Señor diciéndole: Señor, te traigo lo que tu pueblo produce, lo que estas relaciones de los hombres salvadoreños, ricos y pobres, gobernantes y gobernados, es lo que están dando. Y esto es lo que le traemos al Señor. Por eso, no me tomen a mal, ni tampoco tomen como exclusivo de mi homilía este momento histórico de la semana. Para mí, lo principal de mis pobres homilías es la doctrina que les quiero dar. Por ejemplo, ahora lo principal que acabamos de sacar es que Jesucristo es la Epifanía, la manifestación del amor de Dios a los hombres. Esto es lo que me interesa que nos llevemos hoy. Pero para vivirlo en la realidad concreta, no tenemos que olvidar lo que está sucediendo entre nosotros, dentro de la Iglesia y fuera de la Iglesia".

Oscar A. Romero

Movimiento I: Nuestra tradición corporal y de oración

Alguna vez trata de realizar un ritual sin ninguna clase de movimiento. Una fiesta de cumpleaños donde nadie dice "feliz cumpleaños" o canta las mañanitas, nadie enciende velas, nadie las apaga y nadie aplaude después del canto tradicional. Imagínate una fecha conmemorativa como la Independencia de tu país, sin su desfile correspondiente. Visualízate antes de un partido de fútbol sin estar caminando o tomando algo en lo que da inicio el partido o simplemente, contemplar un gol espectacular y no aplaudir ni hacer algún tipo de ovación. Inclusive, si de alguna manera se ha planeado no hacer mucho movimiento ritual, por ejemplo en una práctica de yoga donde cada persona está sentada de cierta manera y hay un completo silencio para favorecer la meditación, es entonces cuando el movimiento más pequeño que ocurra se convierte en un ritual en el cual no se expresan palabras y no hay música de ningún tipo. El hacer algo importante para compartirlo con las personas que viven entre nosotros, sin ningún tipo de movimiento corporal, es simplemente inimaginable para nosotros.

En el transcurso de nuestros diálogos y convivencias sobre el uso que hacemos de nuestro cuerpo en la oración, encontraremos diferencias muy obvias. Algunas veces los rituales envuelven movimientos mucho más espontáneos. Algunas Iglesias pentecostales han hecho del movimiento corporal algo de suma importancia, motivando a que la gente manifieste su espíritu saltando, aplaudiendo y bailando. Hay algunas partes en la Iglesia católica donde los rituales permiten tener este tipo de expresiones. Por alguna razón, tales movimientos espontáneos no son parte de la experiencia religiosa de la mayoría de los cristianos de ascendencia europea. Muchas personas que no verán con buenos ojos este tipo de movimientos en nuestra liturgia dirán que este tipo de movimientos, posturas y aclamaciones no son correctas en ese lugar, que el lugar adecuado para realizarlas es el estadio o en un mitin político.

Ya sea que experimentemos o no movimientos espontáneos y vigorosos en la liturgia, de todas maneras participamos en movimientos mucho más moderados y discretos en nuestra oración comunitaria. Los católicos hemos desarrollado y preservado ciertos gestos como parte esencial de nuestra liturgia. Consideremos una genuflexión, las distintas maneras de hacer la señal de la cruz, arrodillarse y levantarse, darse golpes en el pecho, inclinar la cabeza al pronunciar o escuchar el nombre de Jesús, unir las manos al momento de recibir la comunión en la mano y extenderlas al momento de beber del cáliz. Estos movimientos son comunes para todos los miembros de la asamblea. De igual manera conocemos los gestos que pertenecen de manera especial a quien preside la celebración: extender las manos, hacer reverencias profundas y llenas de devoción, gestos de bendición asociados con varios objetos, tales como la oscilación del incensario, el besar el Evangeliario, elevar el pan y el vino. Algunos de estos gestos, tales como las manos extendidas y las reverencias profundas, históricamente pertenecieron a la asamblea, pero su uso ha decaído gradualmente en comparación a cómo se efectuaban en tiempos pasados.

Por esta razón histórica, a veces algunos gestos dan la impresión de ser algo privado: se han reducido, se hacen mecánicamente, sin estilo ni gracia. A fin de vigorizar estos gestos en nuestras celebraciones litúrgicas, se requieren dos elementos: intencionalidad y plenitud. Cuando una persona realiza un gesto consciente y deliberadamente, toda su atención se enfoca a ese gesto y el sentido de ese gesto se hace claramente presente en la persona que lo está realizando. Cuando la gente deja que su cuerpo entre en la plenitud de la gestualidad, su experiencia del sentido de estas acciones se enriquece enormemente.

Los gestos comunes que realizamos en nuestras liturgias envuelven a todas las personas; cada persona se envuelve totalmente en cuerpo, alma y espíritu cuando la Iglesia se reúne en oración. Los gestos comunes son una manera de manifestar que ésta es la oración y la acción de la Iglesia, del cuerpo de Cristo. Más aun, los gestos comunes en la liturgia ayudan a que se tome conciencia de eso.

Por supuesto, ésta no es una cuestión de que cualquier gesto se realiza de cualquier manera. Gestos llenos de gracia, respetuosos y conscientes manifiestan un profundo sentido de respeto por el cuerpo, un respeto que resuena en la profundidad de una Iglesia que cree en la Encarnación; sin tales gestos, la oración es mutilada y ensombrecida.

"La liturgia de la Iglesia ha contado con una tradición rica en movimientos y gestos rituales. Estas acciones, de una manera sutil, pero real, contribuyen a una ambientación que pueda facilitar la oración o ser causa de distracción en ella. Cuando los gestos se hacen en común ayudan a la unidad de la asamblea actual". *(La Ambientación y el Arte en el Culto Católico, 56)*

1. A partir del momento en que despiertas, ¿qué rituales que te conectan con otras personas llevas a cabo antes de iniciar tus tareas diarias?

2. Menciona algunos de los gestos comunes en tu familia. (piensa ampliamente).

3. ¿Qué gestos te hacen sentir cómodo en la liturgia? ¿Han cambiado con el paso de los años?

4. ¿Existen gestos litúrgicos que tu comunidad puede implementar o fortalecer durante este año?

5. ¿Cómo puedes incorporar estos gestos en la liturgia dominical?

El cuerpo . . . es para el Señor; y el Señor es para el cuerpo. Y Dios, que resucitó al Señor, nos resucitará también a nosotros con su poder.

¿No saben que sus cuerpos son parte de Cristo? El que se una al Señor, se hace con él un mismo espíritu. . . . ¿No saben que su cuerpo es templo del Espíritu Santo, que Dios mismo puso en ustedes? Ustedes ya no se pertenecen a sí mismos; sabiendo que fueron comprados a un gran precio, procuren que sus cuerpos sirvan para gloria de Dios.

1 Corintios 6:13-15,17,19-20

❖

A través de la naturaleza sensual de la Liturgia Hispana se toca el misterio de la presencia de Dios. La memoria viva de Jesús se hace presente en una forma que físicamente nos pone en contacto con él. Este contacto se realiza en formas muy simples, tales como un saludo a los santos al tocar las estatuas o al entrar a una iglesia; o por medio de la bendición de varias partes del cuerpo con el agua bendita; entrar de rodillas al templo; besar la mano de las personas por las que guardamos reverencia; encender una veladora en el altar de nuestra casa. Estas prácticas rompen en pequeñas piezas la presencia sintética de Dios. Nuestro punto de partida en la liturgia es el cuerpo y todo lo que el cuerpo tiene para ofrecer.

Arturo J. Pérez-Rodríguez

Movimiento II: De aquí para allá

La forma en que el ministro o toda la asamblea se mueve "de aquí para allá" durante la liturgia es una buena ilustración de lo que sucede durante un ritual cuando se necesita hacer algo práctico. Una vez que la persona que preside ha saludado a las personas en la medida en que llegan para la celebración de la liturgia, ahora necesita estar al frente para darles la bienvenida a todos e iniciar con la oración colecta. Aquí se necesita una procesión. El diácono está en la silla y ha llegado el momento del Evangelio: necesitamos una procesión. La gente está en su lugar mientras llega el momento de compartir la comunión; una vez más se necesita una procesión.

Pero las procesiones a veces suceden por sí mismas: durante el Domingo de Ramos, la fiesta del Cuerpo y la Sangre de Cristo, la fiesta patronal de la parroquia. Hay festividad y movimiento, y la procesión en sí misma puede ser el ritual.

Llegar de aquí para allá en una forma ritual—por una razón práctica, para tener un momento de celebración o para manifestar algo de importancia—sucede frecuentemente fuera de los rituales religiosos. Un rito donde tal movimiento es el medio principal de expresión es un desfile. En un buen desfile, nunca se puede decir que los únicos participantes son solamente las personas que van en las carrozas y los que forman parte de las bandas o cuadros plásticos. Por el contrario, los celebrantes son ellos y todas las demás personas que se encuentran a lo largo del camino. Todos se integran a las festividades. La razón de un desfile puede ser un despliegue o manifestación de orgullo étnico; el movimiento ritual de un presidente tomando posesión desde el Capitolio hasta la Casa Blanca; el comienzo de la temporada de compras para los días festivos, que inicia con el fin de semana de Acción de Gracias; la conmemoración de eventos pasados, como son los desfiles en el día en que recordamos a quienes han muerto en alguna guerra; la visión de una sociedad más justa, como sucede en el desfile del Día del Trabajo.

Hay diferentes desfiles y procesiones sencillas, cuyo objetivo es lograr que las personas desempeñen un papel de aquí hacia allá. Por ejemplo, piensa en la entrada de los jugadores a una competencia atlética, o de la llegada de los actores de cine en una noche de inauguración, o en la entrada de un juez al salón de la corte. Algunas procesiones parecen efectuarse en la misma forma, ya sea que los participantes le den al ritual un significado religioso o no; por ejemplo, la procesión de la novia (o del novio) al sitio donde intercambiarán los votos; la procesión, en autos o a pie, detrás del ataúd cuando alguien va a ser sepultado.

Todos sabemos cuando las procesiones son eficientes y cuando no lo son. Todos sabemos cómo se prepara una procesión que se efectúa una vez al año, y la diferencia entre ésta y una procesión que se efectúa cada domingo. Podemos reconocer con facilidad los elementos que hacen que una procesión se realice de muy buena manera. El estilo con que algunos ministros entran en el espacio del ministros culto es en sí mismo una clara demostración de lo que somos y del motivo por el que estamos allí. ¿Por qué razón otras personas pueden tomar el mismo sendero y terminar en el mismo lugar, y nada se sienten sobre el quién y el por qué? Al momento de la proclamación del Evangelio, una forma de hacer la procesión indica que debemos proclamar y aclamar las buenas nuevas, y otra forma inadecuada deja a la asamblea preguntándose si debe ponerse de pie y por qué. ¿Por qué algunas veces, al momento de recibir la sagrada comunión, parece que un grupo de personas se amontona para tratar de tener un intercambio privado con el ministro, pero en otras ocasiones parece que toda la comunidad está compartiendo un sólo alimento: el cuerpo y la sangre de Cristo?

Una procesión expresiva no sólo consiste en ejecutar una decisión: "Debemos tener una procesión, así que tales personas irán con el que preside, desde este punto hasta aquél". Es una cuestión de tiempo, de paso, de tolerancia, de reverencia y de espacio. Es palpar lo que esta procesión significa: las procesiones de entrada no son como las procesiones con el Evangeliario o para la proclamación del Evangelio; las procesiones de la comunión no son como las procesiones de despedida. Cada una tiene su propio carácter. Esto no solamente es importante durante la eucaristía, sino también durante celebraciones especiales como bodas, funerales y bautismos.

"Las procesiones son para las personas que se mueven y les gusta moverse, para las personas que tienen convicciones religiosas fuertes y les gusta manifestarlas, para aquellas personas que—a través de la formación adquirida, experiencia o intuición—saben cuánto contribuye el cuerpo en su simple movimiento de caminar, a la mente y al espíritu para nutrir una experiencia religiosa. Las procesiones son para las personas que tienen la sensibilidad de percibir los gestos simbólicos y sienten que la correlación de los pies (que caminan), las manos (que llevan palmas, flores, partituras, rosarios y velas) y las voces (que cantan y oran), que la armonización de estos tres signos esenciales crean un fuerte modelo y de apoyo de lo que es el testimonio y la alabanza. (Regina Kuehn in *Liturgy 70*. Febrero de 1978).

1. Los rituales tienden a organizar o desorganizar nuestra vida. Considera tus rituales al salir de la casa hacia la iglesia y regresar de nuevo a la casa. ¿Organizan tu vida? ¿Qué calidad añaden a tu vida?

2. Menciona varias procesiones que forman parte de la experiencia de culto en tu comunidad. ¿Qué hace que una procesión buena sea buena? ¿Qué es lo que puede hacer que a una procesión le falte vida y ánimo? ¿Qué efecto podrían tener en una procesión los cambios en la música, color, participantes, estandartes o ruta? ¿Podrían efectuarse algunas procesiones fuera de la iglesia?

3. ¿Hay alguna procesión en tu comunidad que necesita mejorar? ¿En qué aspectos debe mejorar? ¿Qué cambios serían necesarios para lograrlo?

¿Qué es una procesión?
Es un camino destilado, lo esencial del caminar,
una reunión en un solo movimiento,
de una Iglesia que camina:
un pueblo peregrino, polvoriento, esperanzado,
que aún sigue caminando con la frente en alto;
conociéndose a sí mismo, manifestando que
es un pueblo de reyes, el pueblo santo,
ganado por el Hijo,
convocado por su Palabra,
reunido alrededor de su mesa.
Entonces descubrimos nuevamente,
de edad en edad, de Este a Oeste,
para toda nuestra jornada,
la fuente, el campo, el compañero, el camino.
Janet Schlichting
❖

La vida es un largo proceso de crecimiento y descubrimiento. Nos movemos en ella para experimentar todas sus imágenes, sonidos, olores y otras impresiones. La procesión de la vida, que nos hace ser lo que somos, es también el modelo en las procesiones religiosas que tanto ayudan a nuestra tradición católica romana. Es una procesión donde marchamos al encuentro de nuestro Señor, nos unimos en este caminar como un solo cuerpo; es nuestro santo peregrinar, es la Iglesia recorriendo el camino por este mundo.

El Vaticano II renovó la importancia de las procesiones en la liturgia de la Iglesia. La liturgia eucarística ahora tiene una procesión de entrada, una procesión con el Evangeliario, una procesión con las ofrendas y una procesión de despedida. Al mismo tiempo, distintas procesiones durante el año y varios momentos rituales han sido apoyados con un nuevo espíritu; en su mayoría, estas procesiones, tienden a dar un tono dramático y a la vez festivo a dichas celebraciones.
David García

El movimiento III: ¿Cómo funciona?

El movimiento en la celebración litúrgica se puede clasificar en tres: postura (cómo y cuándo nos ponemos de pie, nos sentamos y nos arrodillamos), las procesiones y los gestos. Veamos la Misa Dominical, ya que es nuestro rito más conocido y al mismo tiempo veamos las funciones de estos movimientos.

La postura. No se asignan significados de manera arbitraria a cada una de las posturas. Por experiencia propia sabemos qué significado tiene una postura para nosotros, pero también sabemos que en una cultura, por ejemplo, el sentarse puede significar reverencia, mientras que en otra el permanecer de pie o ponerse de pie indica lo mismo. También sabemos otras cosas: cambiar de una postura a otra, y después volver a la primera, distrae nuestra atención; descubrimos que no es necesario decirle a una asamblea que celebra la liturgia regularmente cuándo sentarse, arrodillarse o ponerse de pie. La postura logra (o no logra) hacer dos cosas dentro del rito: expresa y fortalece nuestra devoción (por eso es que nos ponemos de pie para vitorear algo o a alguien) y mantiene un buen ritmo durante el transcurso del rito (es por eso que se estira el cuerpo durante la séptima entrada en un partido de béisbol).

La acción de sentarse, para nosotros, indica una actitud de descanso, de escucha y de observación. Durante la Misa, ¿Cuándo es necesario que nos sentemos? ¿Cuál es el propósito de arrodillarnos? ¿Para expresar pena? ¿Para expresar adoración? ¿Existe algo, al estar arrodillado, que hace que el momento sea más privado, más introspectivo? ¿Y el pararse? Nos ponemos de pie para saludar a la gente u honrar a alguien; nos ponemos de pie cuando estamos llenos de emoción.

Durante la Misa Dominical, es posible que no tengamos ganas de escuchar en ese momento, o de aclamar en otro momento. Pero en la liturgia, todos los ahí presentes se integran al rito y entran en la oración de la Iglesia. Las posturas que tomamos, a la larga ayudan a que el rito funcione de una mejor manera, y para que la oración se realice de una manera más auténtica. Nuestras posturas son muy importantes para el espíritu de la liturgia. Esto es más aun importante para los ministros de las comunidades, quienes mediante su postura pueden inspirar (o enfadar) a la gente

que los ve. Sabemos que el ser descuidado o andar desarreglado es contagioso; de igual manera sabemos que el ser reverente y cuidadoso también lo es.

Las procesiones. Percibimos lo que es único a cada procesión en la Liturgia Dominical: la procesión de entrada, la procesión con el Evangeliario, la presentación de los dones, la procesión para la comunión y la despedida. ¿Quién participa en cada procesión? ¿Cómo se han preparado anteriormente para participar en la procesión? Para algunas personas llevar los objetos, los libros y las patenas junto con los cálices, con estilo y gracia es algo relativamente fácil, pero hay otras que necesitan practicar. La intención principal de los ministros al momento de la comunión se hizo con la finalidad de aclarar la naturaleza del rito: un banquete. Pero la presentación personal de los ministros y la manera en que realizan su ministerio pueden ocultar la naturaleza del rito. No hay que olvidar que cada procesión puede ayudar a que el rito sea profundamente piadoso. ¿Cómo?

Los gestos. Las personas con ministerios específicos tienen que realizar más gestos que los que la asamblea tiene que hacer en el transcurso de la liturgia. El monaguillo aprende cómo y cuándo se debe hacer una reverencia, y honra el altar con un gesto digno de respeto y adoración. El lector aprende a mantener el Leccionario en alto y honra nuestras Sagradas Escrituras con un gesto digno de júbilo. El que preside realiza acciones y gestos de bienvenida mientras saluda y reúne a la asamblea con sus ojos, manos y brazos . . . con su persona entera. A fin de que estos gestos tengan una buena resonancia en la liturgia, necesitamos practicar y aprender de otros, y darnos cuenta de cómo se siente uno cuando los hace de manera completa y conscientemente. La asamblea también tiene sus gestos. Hace la señal de la cruz como un gesto consciente de que es una verdadera comunidad; eleva las manos en señal de alabanza y bendición; estrecha fuertemente las manos en el rito de la paz e inclina la cabeza para pedir y recibir la bendición de Dios.

Esto es difícil. Hay muchos aspectos de nuestra cultura que intentan hacer de nosotros meros espectadores; quieren hacernos sentir apenados y hasta cierto punto avergonzados por una genuflexión o reverencia bien hecha, llena de sentido y devoción, una genuflexión que revele adoración y respeto por lo que celebramos; dígase lo mismo si elevamos nuestras manos en señal de alabanza. Estos aspectos nos distraen e impiden estar plenamente conscientes sobre lo que estamos haciendo en ese momento. Pero estos aspectos nos prepararán para entrar en nuestro rito, nuestra liturgia, como un pueblo entero. Y solamente un pueblo entero puede entrar plenamente en el ritual.

1. Los ministros pueden modelar sus gestos consciente y deliberadamente de muchas maneras. Un cantor puede invitar a que la asamblea se ponga de pie moviendo las manos de manera lenta y mirando directamente a su rostro. Todos los ministros, incluyendo los servidores del altar, pueden reverenciar el altar al hacer una reverencia digna y piadosa.

2. Haz una lista de los gestos y posturas utilizados por la asamblea y los pastores, y medita en ellos por un momento. ¿Cómo describirías lo apropiado, lo digno y lo piadoso de cada uno de estos movimientos corporales? ¿Cuáles de estos signos tienen un significado o belleza especial en tu comunidad? ¿Hay algunos de estos signos que requieren de mayor atención?

3. Si se da la impresión de que alguno de los gestos se realice con menor conciencia y cuidado que los otros, puedes hacérselo notar a la comunidad de muchas maneras. En primera instancia, puedes escribir un pequeño artículo en el boletín dominical explicando el sentido de tal reverencia o gesto. Explica completamente la manera en que dicho gesto se realiza e incluye en ese artículo el significado que le han dado los cristianos a lo largo de la historia. Si consigues algunas ilustraciones buenas, no cabe duda que ayudarán; después de todo, una imagen dice más que mil palabras.

Por la señal de la santa cruz,
de nuestros enemigos,
líbranos Señor, Dios nuestro.
En el nombre del Padre,
del Hijo, y del Espíritu Santo.
Amén.

Cuando nos persignamos con la señal de la cruz, que sea una verdadera señal de la cruz. En vez de un pequeño gesto que no indica la idea de su significado, hagamos una señal grande y lenta, desde la frente hasta el pecho, de hombro a hombro, sintiendo de manera consciente cómo incluye nuestra totalidad— pensamientos, actitudes, cuerpo y alma, cada parte de nosotros a la vez—cómo nos consagra y santifica.

Porque es la señal del universo y la señal de nuestra salvación. En la cruz, Cristo redimió al género humano. Mediante la cruz santifica hasta la última fibra de nuestro ser. Hacemos la señal de la cruz antes de orar para calmarnos y ordenar nuestros pensamientos, y fijar la mente y el corazón en la voluntad de Dios. La hacemos cuando terminamos de orar para poder mantener seguro el regalo que hemos recibido de Dios. En el momento de la tentación, hacemos sobre nosotros la señal de la cruz para fortalecernos y en el peligro para ser protegidos. La señal de la cruz se hace sobre nosotros en las bendiciones para que la plenitud de la vida de Dios entre en nuestra alma y para que tenga frutos en nuestra vida y nos santifique plenamente.

Piensa en estas cosas cuando hagas la señal de la cruz. Es la más sagrada de todas las señales. Haz una cruz grande, tomando el tiempo necesario, pensando en lo que estás haciendo. Deja que penetre todo tu ser, cuerpo, alma, mente, voluntad, pensamientos, sentimientos, tu hacer y no hacer y, al hacer la señal de la cruz, fortalécete y conságrate totalmente en la fuerza de Cristo, en el nombre de Dios Trino y Uno.

Romano Guardini

Música I: El sonido de nuestra oración

¿Qué sonido tiene nuestra oración? Podemos iniciar la respuesta a esta pregunta pensando en los sonidos que emiten otras asambleas humanas. ¿Cuáles son los sonidos que emite la gente durante un banquete? ¿Cuáles son los sonidos que emite la gente durante una carrera de caballos? ¿Cuáles son los sonidos que se emiten en una reunión de padres de familia con los maestros de sus hijos? ¿Cuáles son los sonidos que se escuchan en un remate? ¿Cuáles son los sonidos que se escuchan en un mitin político? ¿Qué hacen las voces humanas aparte de comunicar información, en varias situaciones? Si escuchas grabaciones sin ninguna de estas identificaciones, ¿podrías decir qué tipo de asamblea está emitiendo esos sonidos?

Lo que la gente hace con sus voces es parte vital de cualquier ocasión. Esta asociación entre las situaciones y los sonidos se convierte en algo inseparable: ¿Puedes imaginarte una carrera de caballos con música de fondo de un funeral?

¿Cuál es el sonido de la gente comprometida en celebrar juntos la liturgia? Aun estamos aprendiendo. Los modelos de nuestra liturgia que fueron establecidos hace cientos de años tenían al sacerdote realizando casi todas las partes activas en la liturgia. Las demás personas eran meros espectadores, de quienes se escuchaban muy pocos sonidos. En esa situación, los sonidos de la liturgia eran expresados en latín por una sola voz, un leve sonido de la campanilla, el sonido de las puertas del sagrario cuando éstas se abrían o cerraban, el incensario golpeando la cadena, la patena al rosar el cáliz, el sonido de la gente al momento de levantarse y arrodillarse. Posiblemente había música de algún coro u organista.

Sin embargo, cuarenta años después del Concilio Vaticano II, tenemos una nueva apreciación de los sonidos que se escuchan en la liturgia. Sabemos que algunos de ellos no pertenecen a la oración litúrgica, por ejemplo, una "lectura común" donde el sacerdote y la asamblea están leyendo sus propios libros en voz alta durante la celebración de la liturgia. De igual manera, sabemos que el hecho de cantar tres o cuatro himnos en el transcurso de la Misa no necesariamente implica un cambio en la situación; en ocasiones puede dar la impresión de un anuncio comercial: "Y ahora, señoras y señores, vamos a cantar".

Los sonidos que hacemos en la oración deben ser parte integral de ella; de hecho, los sonidos que emitimos se hacen parte de nuestra voz. Esto no es sólo cuestión de pronunciar las palabras; es cuestión de sonidos. No cantamos para repetir información o repetir los acontecimientos: cantamos porque hay fe y vida en la Iglesia. En la liturgia podemos regocijarnos, podemos tener problemas, podemos recordar, podemos esperar. Podemos estrellar la llanura de la vida. La liturgia llama a los sonidos de nuestras voces y de los instrumentos que la misma gente ha creado, al sonido de las campanas, las manos que aplauden y los pies que caminan. Llama a un sonido que en ocasiones puede ser fuerte y en otras muy suave, alto y bajo, más rápido o lento que nuestro diálogo de cada día. La liturgia no tiene vacíos que necesitamos llenar con cantos. Por el contrario, cantando en varios estilos, lo que hacemos es expresar y encarnar nuestra fe. En su declaración sobre la Música en el Culto Católico, los obispos de Estados Unidos han dicho que:

> La música debe ayudar a los creyentes reunidos a expresar y compartir el don de la fe que tienen dentro de sí y a nutrir y fortalecer su compromiso interno de fe. Debe realzar los textos de modo que le hablen más plenamente y más efectivamente. La calidad del gozo y entusiasmo que la música añade al culto de la comunidad no puede ser obtenida de otro modo. Imparte un sentido de unidad a la congregación y establece el tono adecuado para una celebración particular. . . . Además de expresar los textos, la música puede también revelar una dimensión de significado y sentimiento, una comunicación de ideas e intuiciones que las palabras no pueden producir. (*La Música en el Culto Católico*, 23-24)

Nuestra necesidad de "la calidad del gozo y entusiasmo" significa que es vital el hecho de que nosotros tengamos el sentido del sonido de nuestra oración. El hecho de tener o agudizar este sentido por el sonido no significa el saber si una pieza ha sido bien ejecutada o no, aunque esto es muy importante. Significa que el sonido crea un ambiente que expresa y genera una actitud. Los músicos pueden facilitar este sonido tocando el órgano y otros instrumentos, ayudando a la asamblea a cantar, formando y capacitando a coros grandes y pequeños que contribuyen con sus propios sonidos a la oración común.

Hoy la música nos envuelve y rodea. La buena música es accesible a la mayoría de las personas más que en ninguna otra época de la historia. Los tipos y estilos de música que se pueden escuchar son abundantes y maravillosos. Más que nunca, las personas están interesadas en la creación de la música, en tocar instrumentos, en cantar. No siempre jugamos el papel de audiencia. El sonido que emite la oración de la gente es más grande y pleno cuando tenemos conciencia de la necesidad de la música y tenemos los líderes que pueden ayudarnos a encauzar la fuerza de nuestros sonidos.

1. El hecho de seleccionar la música para la liturgia no sólo es cuestión de buscar cantos cuya letra se relacione con las Escrituras del día. El sentido del canto influye en la liturgia tanto o más que las palabras. Menciona algunos ejemplos.

2. Los instrumentos que se utilizan en algunas ocasiones pueden sugerir un ritmo o sonido en particular que quizá los otros instrumentos no puedan producir. Si cantamos "¡Resucitó!" como canto de despedida en una liturgia de funeral acompañado de todo un conjunto de voces e instrumentos musicales creará un ambiente impresionante. Comparte otros ejemplos.

3. ¿Canta la gente en la liturgia?

4. Si la respuesta a la pregunta anterior es afirmativa, piensa en cómo se puede evitar que algo interfiera de una manera inadvertida.

5. Si la respuesta es negativa, ¿Qué se puede hacer para que la asamblea entera cante en la liturgia? ¿Qué se puede hacer para ayudar a la gente que quiere cantar durante la liturgia?

6. ¿Qué podemos hacer para que nuestras convicciones sobre la necesidad de buenos músicos se refleje de manera justa y honesta en el presupuesto de nuestra parroquia?

A través de los siglos, la música litúrgica ha expresado siempre de una manera clara y persistente la espiritualidad de la asamblea que celebra. La música en la liturgia destaca cada elemento de la estructura del culto y sirve de motivación y estímulo para que la asamblea alabe a Dios con toda su alma, cuerpo y corazón. Como un signo instrumental, la música no sólo facilita que la asamblea exprese su fe, esperanza y amor en comunidad, sino que también sirve de motivación y estímulo para que la asamblea se injerte en el eje mismo de la celebración, el Misterio Pascual.

Juan J. Sosa

❖

Los dones de la cultura hispana encuentran su mejor forma de expresión en las melodías, ritmos y letras que las canciones hispanas proveen. Para los hispanos, la poesía y la música se mezclan para relatar historias de amor o de dolor, de traición o de esperanza, de victoria o de muerte. La vida humana, y en especial, las relaciones humanas se ven entrelazadas con los estilos musicales que dejan una marca indeleble en la memoria colectiva de los pueblos.

Juan J. Sosa

23

Música II: Juicio pastoral y musical

El Comité de Liturgia de los Obispos de los Estados Unidos hizo pública su declaración pastoral sobre la música en 1972 *La Música en el Culto Católico,* y en 1982 publicaron el documento *La Música Litúrgica Hoy,* acerca del papel que juega la música dentro de la celebración de la liturgia. Estos documentos importantes constituyeron un buen acercamiento a una buena liturgia.

Los obispos proponen tres criterios para la música en la liturgia: que sea música de buena calidad, que sea pastoralmente buena y que responda al fin que la liturgia debe realizar. Consideremos ahora los dos primeros puntos.

Los obispos preguntan: "¿Es la música técnica, estética y expresivamente buena?". La importancia dada a este punto se trae nuevamente a la mesa: "Este juicio es básico y primario y debe hacerse por músicos competentes". (*La Música en el Culto Católico,* 26)

El culto es una actividad que envuelve a la persona entera; esto significa unir el espíritu y la mente, el cuerpo, el corazón y el alma. Los elementos del culto son esas expresiones humanas y artísticas que tocan profundamente cada parte de nuestra vida. De ahí que la importancia del papel de la música en nuestras actividades litúrgicas sea de capital importancia. Más que cualquier otra expresión humana, la música puede transmitir cualquier emoción, convicción, humor o recuerdo. La música es algo universal y constituye una parte importante de cada vida humana.

Desde hace mucho tiempo, nuestra tradición se ha valido de una colección de cantos conocidos como salmos. A esta colección, la primera Iglesia le agregó nuevas palabras y melodías que expresan sus propias experiencias del Señor. Con el paso de los siglos, personas de muchas culturas contribuyeron con buena música para que la Iglesia la cantara. En los mejores tiempos hemos tenido música que todas las personas pueden cantar sin ningún problema, junto con otra música que es cantada o ejecutada por personas que tienen dones y una formación especial que les permite realizarlo. Las Iglesias locales deben apoyar e incrementar el trabajo de los músicos con talentos que radican en su medio ambiente; esto ayudará a que la celebración de nuestra liturgia se enriquezca aun más con la participación de toda la asamblea.

Es para el bien de nuestra tradición musical lo que la Iglesia está llamada a hacer en este campo. En cada nivel, el juicio musical debe llevarse a cabo por músicos realmente competentes que no sólo reúnan cualidades humanas, sino también un sentido de comunidad y un buen conocimiento de la liturgia. El documento lo explica claramente: "Sólo la música artísticamente aceptada será efectiva a la larga. Admitir lo barato, lo trivial, el cliché musical que a menudo se encuentra en los cantos populares con el propósito de conseguir una 'liturgia del momento' es degradar a la liturgia, exponerla al ridículo e invitar al fracaso. Los músicos deben crear y buscar música de calidad para el culto . . . deben explorar el repertorio de la buena música usada por otras denominaciones religiosas. Deben hallar los medios prácticos de conservar y usar nuestra rica herencia de cantos y motetes latinos. (*La Música en el Culto Católico,* 26-27)

El juicio musical siempre está al pendiente de otro factor: es muy importante el no confundir el estilo con el valor musical. Dado que el culto toma forma a través de diferentes formas de arte, es necesario escoger una y otra vez de entre los muchos estilos de música que existen.

Los músicos que llevan a cabo su ministerio de una manera extraordinaria son quienes son capaces de sentir cuáles ejemplos y de qué estilo ayudarán a engrandecer la oración; al mismo tiempo, ayudan a que los sonidos de la música así como las palabras que usamos en la liturgia se extiendan y enriquezcan la vida de las personas que forman parte de esa comunidad. Más allá de tener la práctica y capacidad necesaria para ejecutar una pieza musical, el músico confiado en el juicio de la iglesia local debe ser una persona sensitiva que conozca intente y habilite nuevas formas y estilos de la buena música litúrgica. De hecho, esto es a lo que el documento llama juicio pastoral.

"[El juicio pastoral] es el juicio que debe hacerse en esta situación particular, en estas circunstancias concretas. ¿Capacita la música en la celebración a estas personas para expresar su fe en este lugar, en esta época, en esta cultura?" (*La Música en el Culto Católico,* 39). A fin de practicar el juicio pastoral, el músico debe trabajar de manera cercana con las demás personas que tienen bajo su responsabilidad la planeación de la liturgia de la comunidad, y ambas partes deben escuchar de manera atenta a la comunidad que sirven.

Deben escuchar especialmente aquello que tiene significado para su comunidad, que algunas veces puede estar oculto detrás de lo que se dice.

El juicio pastoral y musical no solamente se refiere a la calidad de la música que se ha seleccionado. Se refieren también a la capacidad de ejecución. A nivel parroquial, eso significa buscar voluntarios que poseen dones especiales o guiarlos hacia otros ministerios donde sus talentos pueden dar un mejor fruto. La meta es clara: la buena música que se ejecuta de una buena manera forma una expresión fuerte y contundente de la fe de esa parroquia.

La buena música no se da por casualidad. Requiere de buenos músicos con buenos instrumentos, y de un presupuesto realista a fin de nutrir la buena música que se tiene en la liturgia parroquial. No es correcto esperar que un voluntario, sin la formación musical necesaria, pueda proveer todos los elementos que se necesitan para la buena música dentro de la liturgia. Ya sea que se ahorre dentro del presupuesto con el fin de que el director de música asista a cursos de formación y actualización musical, o que se contrate a un músico liturgista profesional para que asuma la responsabilidad del ministerio de la música. Cada parroquia que piensa seriamente en la liturgia también debe pensar seriamente en el presupuesto. Se necesitan buenos instrumentos, buenos músicos y suficientes libros para que cante toda la asamblea.

1. ¿Quién hace el juicio final respecto a la música que se usará en la liturgia? ¿Cómo lo hacen?

2. ¿Qué tanta variedad existe en la música que se utiliza en tu parroquia? ¿Qué tanta familiaridad existe entre ella y la comunidad? ¿Cómo lo hacen?

3. ¿De cuánto es el presupuesto que la parroquia tiene para pagar un buen director de música? ¿Con qué frecuencia se revisa? ¿Cómo se asegura de que el pago al director de música sea justo?

4. ¿De qué manera apoyas el entendimiento y apreciación musical de la asamblea en la celebración de la liturgia?

Consérvese y cultívese con mucho cuidado el tesoro de la música sacra. Foméntese diligentemente las *scholae cantorum*, sobre todo en las iglesias catedrales. Los obispos y demás pastores de almas procuren cuidadosamente que, en cualquier acción sagrada con canto, toda la comunidad de los fieles pueda aportar la participación activa que le corresponde.

Constitución sobre la Sagrada Liturgia, *114*

❖

Comprometidos con una liturgia y una piedad popular que desplieguen la mejor expresión artística posible, tratemos de examinar continuamente la letra de nuestros cantos y no nos dejemos llevar sólo por sus melodías. Propongamos cantos que estén basados en las Sagradas Escrituras, más que en las expresiones subjetivas de los compositores. Procuremos que nuestros cantos surjan de una reflexión teológica sana y que a su vez generen nuevas melodías que nos ayuden a celebrar la fe como una Iglesia peregrina o un "pueblo que camina". Hagamos un esfuerzo y alejémonos de las melodías mediocres, de las letras que todos pueden cantar, de las expresiones subjetivas de una fe privatizada y desprovista de fundamento teológico, sobre todo post-conciliar y de todo lo que inspire el corazón porque quizá suena bonito, pero, al final, no nos ayuda a crecer profundamente en la fe porque, entre otras razones, apela a un sentimentalismo transitorio. Ofrezcámosle a la Iglesia lo mejor de nuestros símbolos y de nuestra estética al celebrar juntos nuestra fe.

Juan J. Sosa

Música III: Juicio litúrgico

No toda la música que es buena, incluso la música que es buena para esta asamblea, es necesariamente música buena para la situación particular que la asamblea vive en el momento, concretamente, en esta liturgia. Esto es porque la liturgia tiene sus propias exigencias. El documento *La Música en el Culto Católico* lo presenta de esta manera: "La naturaleza de la liturgia misma ayudará a determinar qué clase de música se pide, qué partes deben preferirse para cantar, y quién debe cantarlas" (30). En el documento *La Música Litúrgica Hoy*, los obispos nos recuerdan que "Toda la asamblea cultural ejerce el ministerio de la música" (63).

El principio de "qué clase de música se pide" nos lleva a la necesidad de explorar momentos específicos dentro de la liturgia. En la Liturgia de la Palabra, ya sea dentro de la Misa o en otras ocasiones, hay necesidad de música que vaya de acuerdo a lo que se escucha, música que vaya de acuerdo a las imágenes que se perciben con la proclamación de la Escritura y que éstas mismas sean alimentadas con el silencio; de esta manera encontrarán una expresión que les sea familiar en los cantos litúrgicos, cantados a veces de manera alternativa, ya sea por el cantor o el coro entero.

En otros momentos, la naturaleza de la liturgia nos lleva a las aclamaciones: "Es de su misma naturaleza que sean rítmicamente fuertes, melódicamente atractivas y afirmativas" (*La Música en el Culto Católico*, 53). El ritual, pide que las aclamaciones se canten antes de la lectura del Evangelio y muchas veces dentro de la Plegaria Eucarística. Las aclamaciones son una forma de canto para la cual no se necesita ningún tipo de libro. Son conocidas por el corazón. El papel de ellas es crucial en los momentos más expresivos de nuestra oración; por lo tanto, la asamblea necesita un repertorio completo de estas aclamaciones. Las aclamaciones no se deben recitar, deben cantarse porque ésa es su naturaleza; sería una contradicción el no cantarlas. El canto es la única posibilidad, y la música debe ser lo suficientemente buena para que se haga más fuerte en la continua repetición de estas aclamaciones que se cantan muchas veces a lo largo del año y de los años venideros. Dentro de la oración, la función de las aclamaciones se opaca si éstas tienen que anunciarse. La entonación por parte del cantor, o la introducción musical por parte del coro, será suficiente para llevar a toda la asamblea, incluyendo en ella a los ministros, al canto fuerte y fervoroso de las aclamaciones.

Hay momentos en la liturgia donde la oración necesita de la música, cuando una frase con mucho sentido, se repite una y otra vez. Esto es una letanía, una oración que se construye en base a la repetición. Es una forma de oración que la Iglesia ha usado con frecuencia y muy eficazmente, tal es el caso de la letanía de todos los santos. Dentro de la comunidad Hispana, por citar un ejemplo, las letanías lauretanas a la Santísima Virgen se han hecho parte de su canto, de sus aclamaciones y de su propia identidad como pueblo de fe. También usamos las letanías en las oraciones de intercesión, en algunas formas del Rito Penitencial y en el Cordero de Dios.

Las letanías son oraciones cuyo efecto está en el ritmo de la escucha y la respuesta, obviamente la respuesta es cantada. El canto de las letanías es mucho más pleno cuando la asamblea no necesita un libro o una hoja de cantos a fin de poder participar en ellas. Como en todos los tipos de música de los que hemos hablado a lo largo de estas tres últimas sesiones, la efectividad de las letanías es mayor cuando las manos y los ojos de la asamblea están libres de cualquier libro u hoja de cantos. Como las aclamaciones y los refranes, las letanías no solamente desarrollan su función a nivel intelectual; su función va más allá de la respuesta que cantamos, sólo basta reflexionar en el sentido de las palabras que cantamos. Éste se da a un nivel más profundo, donde los ritmos del canto crean una oración que hace eco en la persona entera. Esto es lo que la música debe hacer en la liturgia.

Otro tipo de música que en ciertos momentos forma parte de nuestra liturgia es el himno. Cuando cantamos los himnos, usualmente necesitamos de un libro o de una hoja impresa. Los momentos en que los himnos desempeñan su función de una mejor manera son los momentos en los que nos preparamos para iniciar y concluir la liturgia: ellos nos invitan a la oración comunitaria y nos proveen para nosotros grandes momentos para la oración conclusiva.

Dice el refrán: "el bosque es tan importante como los árboles". ¿De qué manera la música en su conjunto, da forma y tono a toda nuestra celebración litúrgica? Con frecuencia, la combinación de muchos estilos de música en la liturgia tiene un buen resultado, inclusive contribuye a su integridad misma.

El juicio litúrgico de "qué clase de música se pide" se refiere también a las estaciones o a los tiempos litúrgicos, a la manera en que los músicos y las personas que planean la liturgia son sensibles al espíritu litúrgico del tiempo que se vive, a la reflexión sobre la identidad de los sonidos y silencios que vivimos durante el Adviento y la Cuaresma; acerca de los ritmos, instrumentos y disposiciones internas que se ejemplifican en los tiempos litúrgicos. Con la continuidad de cada estación año tras año, los sonidos que nos son familiares nos hacen sentir en casa, en nuestra iglesia.

1. Algunas asambleas cantan con fuerza, pero otras no. Parece que están aburridas o molestas porque están cantando. ¡Probablemente hay buenas razones para estarlo! Tal vez se les pide que canten los mismos himnos con demasiada frecuencia, o posiblemente no vuelven a escuchar el himno que han cantado anteriormente. Puede ser que el cantor haga del himno una oportunidad para presumir a la asamblea sus cualidades como solista. En algunos lugares la acústica es tan mala que nadie puede escuchar lo que otra persona está cantando. En otros, el organista nunca toca dos veces el mismo himno de la misma manera y, en consecuencia, nadie sabe cómo será el ritmo o melodía en la próxima ocasión. En tu comunidad, ¿Qué es lo que motiva a la asamblea a cantar?

2. Lista el repertorio musical de tu comunidad. Incluye himnos, aclamaciones, salmos y letanías. Divide la selección por su uso en la liturgia y por las estaciones o tiempos litúrgicos del año. ¿Existen áreas o momentos particulares en los que la asamblea canta con fuerza y devoción? ¿Existen otros momentos en los que no se canta igual?

3. Si existen algunas áreas que sean débiles, es posible que el problema radique en la calidad del repertorio que se tiene. Si se hace un programa anual para el año para mejorar (no sólo incrementar) el repertorio, ¿crees que ayude de manera real y profunda?

La música ha sido el único medio de celebrar esta riqueza y diversidad y de comunicar el ritmo del año eclesial a la asamblea. La música realza el poder de las lecturas y de la oración para captar la calidad especial de los tiempos litúrgicos. . . . Debe mostrarse gran cuidado en la selección de la música para los tiempos y las fiestas. La cultura contemporánea parece cada vez menos dispuesta a prepararse para las fiestas y tiempos cristianos o para prolongarlos. Los párrocos y ministros de la Iglesia deben estar conscientes de los fenómenos culturales que se oponen al año litúrgico, o que incluso deprecian nuestras fiestas y tiempos, especialmente mediante el consumismo.

La Música Litúrgica Hoy, 47–48

Ambientación I: Gente y lugares

Cuando nos reunimos a orar, nos reunimos en alguna parte. Así de sencillo. Ese "alguna parte", algún lugar, algún espacio, es parte de la ambientación de nuestra oración. ¿Qué es un espacio? ¿De qué manera puede estar en función de la oración que ahí toma lugar? ¿Cómo preparamos el espacio para la oración y cómo él nos prepara para ella?

Al reflexionar sobre el tema de la ambientación como punto de partida, debemos pensar en la palabra "Iglesia". Los cristianos de los primeros siglos no nos entenderían cuando decimos "nos reuniremos frente a la iglesia", "vamos a renovar la iglesia" o "si la iglesia está hecha a prueba de incendios". El edificio donde la comunidad primitiva se reunía se llamaba *domus ecclesiae*, "la casa de la Iglesia". La Iglesia era la asamblea, el pueblo, los fieles. El edificio tenía un nombre diferente. La pregunta acerca de si la terminología que ellos usaron nos sirve, no es tan importante como lo que nos dice esto sobre su manera de pensar: su primera consideración fue la gente. Que siempre se encuentre un lugar en el que la gente pueda reunirse a orar.

La importancia primordial del pueblo fue retomada en la declaración del Comité de Liturgia de los Obispos en 1978, *La Ambientación y el Arte en el Culto Católico*. "Para hablar de las normas ambientales y artísticas en el culto católico, debemos comenzar con nosotros mismos–nosotros que somos la Iglesia, los bautizados, los iniciados" (27). Comenzamos preguntándonos: quiénes somos, cómo somos, cuáles son nuestras necesidades para la oración, qué es para nosotros una verdadera casa de oración, una casa en la cual podamos orar. "Entre los símbolos que la liturgia trata, ninguno es más importante que esta asamblea de creyentes". (28)

Nada de lo que existe en el espacio de oración debería opacar nuestra acción cuando estamos orando: "La vivencia más intensa de lo sagrado se encuentra en la celebración misma y en las personas que participan en ella, es decir, en la acción de la asamblea: palabras que dan vida, gestos que indican vida, sacrificio vivo, alimento de vida. Estos elementos estaban en el corazón de las liturgias más antiguas, cuya evidencia se encuentra en los mismos planos arquitectónicos de los recintos que fueron diseñados para reuniones generales, espacios que permitían la participación activa de toda la asamblea". (29)

Cada consideración sobre el espacio (nuevo o antiguo) y los objetos que en éste se encuentran, brota de la conciencia de que la liturgia es el trabajo de la gente reunida, de la Iglesia. ¿Qué es lo que ayuda a esta gente a orar como asamblea? ¿Qué es lo que nutre lo mejor que posee la persona y que a la vez hace resaltar el sentido por lo bello y por el compartir? ¿Qué nos ayudará a dejar de ver la asamblea como una audiencia, o como un grupo de muchos individuos orando? ¿Qué nos ayudará a mantener en nosotros "inquietud por los sentimientos de conversión, apoyo, arrepentimiento, confianza, amor, memoria, movimiento, gestos, asombro?". (35)

¿Qué sabemos sobre ciertos espacios que muestran un gran respeto por la gente que los ocupa? Pensemos en algunos espacios que conocemos: teatros, tiendas, escuelas, hospitales, oficinas, bibliotecas, prisiones, fábricas, casas. Una cualidad que es parte de estos lugares es la hospitalidad. Aunque esta cualidad no se pueda separar de la gente que acoge, hay un elemento de hospitalidad en el ambiente físico, el cual favorece o disminuye la acogida. El ambiente físico puede facilitar o complicar el sentimiento de acogida en la gente, de sentirse bienvenidos(as) y en su propia casa. Reconocemos esta cualidad cuando entramos en la casa de un vecino o en el consultorio del doctor. No es el simple hecho de que las paredes sean de un color o de que la alfombra esté sucia o limpia. Esto contribuye a cómo el espacio nos hace sentir. Sin embargo, la hospitalidad tiene que ver con la combinación de todos los elementos, de cómo ellos tienen una influencia sobre nosotros, y cómo el ambiente nos ayuda a reunirnos para recordar y tomar conciencia de nuestra identidad cristiana.

Una parte de esta experiencia de hospitalidad es la belleza. Un espacio bello, junto a los objetos bellos, elevan el espíritu humano; nos dan la bienvenida y acogen nuestra oración. Otra parte de esta experiencia es la sencillez: sin ella, un espacio no es ideal para una oración cristiana. Estos dos elementos, belleza y simplicidad, a veces pueden estar en tensión. Un lugar acogedor, que refleje y ayude a crear el espíritu de la gente que se reúne, es un lugar donde tales tensiones se resuelven gradualmente. Finalmente, un ambiente verdaderamente acogedor "desaparece" en la hospitalidad de la gente. La hospitalidad del lugar siempre debe favorecer, guiar, pero nunca estar en el curso de las acciones de la gente.

"La liturgia, al igual que la oración común y la experiencia eclesial, florece en un clima hospitalario: una situación en la que los fieles se sienten a gusto, ya sea porque se conozcan o porque se presenten unos a otros; un recinto en el cual se les pueda sentar juntos, pero con facilidad para moverse y para establecer contacto visual entre sí y con los puntos centrales del rito; un recinto en el que actúen como participantes y no como simples espectadores". (11)

1. ¿Qué efecto tiene el ambiente en tu rutina diaria? Compara los diferentes ambientes de casas, almacenes, oficinas, bibliotecas y otros lugares. ¿De qué manera la ambientación favorece las actividades particulares de cada uno de estos lugares? ¿Cuál es el aporte de la gente que acude a estos lugares? ¿De qué manera ofrecen su aporte?

2. La renovación de la liturgia también nos llama a la renovación del lugar donde oramos, una renovación que es más que un simple cambio de los muebles del santuario. La participación de la asamblea, la variedad de ministerios, y el rito mismo, nos sugiere una nueva forma del espacio en su totalidad. Busca lugares reconocidos por ser un buen espacio litúrgico, nuevos o renovados. Dialoguen sobre su espacio de culto a la luz de la declaración de los obispos sobre *La Ambientación y el Arte en el Culto Católico*.

3. Haz una lista de las acciones que ocurren en la liturgia, incluyendo las acciones de la asamblea. ¿Ayuda el espacio a estas acciones? ¿De qué manera?

Construyamos una casa donde habite el amor
y todos puedan vivir seguros.
Un lugar donde santos y niños digan,
cómo los corazones aprenden a perdonar.
Construida de esperanzas, sueños y visiones;
roca de fe y fuente de gracia:
aquí el amor de Cristo acaba las divisiones:
todos son bienvenidos, todos son bienvenidos,
todos son bienvenidos en este lugar.

Construyamos una casa donde se encuentre el amor
en agua, vino y trigo.
Un lugar de banquete en tierra sagrada,
donde la justicia y la paz se abracen.
Aquí el amor de Dios, en Jesús,
se revela en tiempo y espacio;
al compartir en Cristo la fiesta que nos libera:
todos son bienvenidos, todos son bienvenidos,
todos son bienvenidos en este lugar.

Construyamos una casa donde las manos alcancen
más allá de la madera y las piedras
para sanar y dar fuerza, servir y enseñar,
y vivir la palabra que han sabido.
Aquí los marginados y extranjeros
llevan la imagen del rostro de Dios;
terminemos con el miedo y el peligro:
todos son bienvenidos, todos son bienvenidos,
todos son bienvenidos en este lugar.

Marty Haugen

Ambientación II: Calidad y propiedad

El cuidado y la aceptación de nuestra oración como algo en lo que interviene la persona entera: cuerpo, mente, sentidos, imaginación, emociones y memoria, ha sido la gloria constante de nuestra oración católica. Creemos que el compartir el pan y beber el vino debe continuar, que el agua tiene que fluir y que la Escritura debe ser proclamada. Colocamos manteles hermosos y dignos sobre la mesa del altar, encendemos las velas, besamos la cruz, quemamos incienso, imponemos las manos. Aun así, el documento de *La Ambientación y el Arte en el Culto Católico* reconoce que, a veces, permitimos que nuestros símbolos se desvanezcan o se conviertan en meros accesorios, al tratar de hacerlos manejables y eficientes.

Mantenemos ciertos criterios artísticos con los cuales formamos nuestra oración. El documento menciona dos: calidad y propiedad. Esto aplica a la música, a la palabra hablada, al movimiento. Consideremos estos dos criterios en relación al ambiente y, específicamente, a los objetos que usamos en la liturgia.

"La calidad se percibe únicamente por medio de la contemplación, apartándose de las cosas y esforzándose por realmente verlas, tratando de permitirles que hablen por sí mismas a quien las contempla. Ciertas costumbres culturales han condicionado a la persona de hoy en día a considerar. . . . Calidad, pues, significa el amor y el cuidado que se ponen en la fabricación de alguna cosa, la honestidad e integridad en la elección de los materiales, y, por supuesto, el talento especial e indispensable del artista para lograr un conjunto armonioso, un trabajo bien realizado" (*La Ambientación y el Arte en el Culto Católico*, 20).

¿Qué significa esta realidad cuando la separamos de la página y tratamos de implementarla en nuestros espacios de oración? Pensemos en el cirio pascual que está junto a la fuente bautismal. ¿Es original, genuino, bien elaborado? ¿Al verlo podemos decir si en su elaboración se incluyó el amor y el cuidado por él? Ahora, aléjate un poco de él y contémplalo. Te dice muchas cosas, ¿no es así? ¿Qué te dice? Ése es el punto: las cosas nos hablan. Algunas veces tratamos de decir con meras palabras lo que las cosas pueden decir por sí mismas de manera más clara y profunda. Un objeto labrado con mucha calidad nos lleva a la contemplación, dado que el objeto es una obra de arte que habla por sí misma.

Un objeto de calidad dice mucho sobre lo que creemos. Eso es lo que sucede en la liturgia. El pan y el vino, el agua del bautismo, el óleo para ungir a los enfermos nos dicen por sí mismos más de lo que podríamos decirnos mutuamente, por medio de las palabras. Al compartir el pan y el vino, el lavado de las manos, la unción con el óleo, aprendemos lo que significan para nosotros. Ahogar estos símbolos con discursos o explicaciones es ahogarnos a nosotros mismos.

El segundo criterio es propiedad. Significa que la obra de arte "tiene que ser capaz de soportar el peso del misterio mismo, el temor reverencial, la reverencia y el asombro que expresa la acción litúrgica" (*La Ambientación y el Arte en el Culto Católico*, 21). La buena liturgia se encuentra en las cosas honestas, hermosas y sencillas. "La capacidad de soportar el peso del misterio mismo" es exactamente lo que hacen los objetos litúrgicos apropiados. Las velas de plástico, el estandarte que porta un signo o lema cotidiano, las hostias que no parecen ser pan real, debilitan el peso del misterio, sus maravillas. ¿Qué puede portar la fuerza y el peso mismo de los misterios si no son cosas dignas, cosas que realmente son lo que aparentan ser y que despiertan en nosotros respeto y reverencia por lo que son? El edificio, el libro de las Escrituras, todos los objetos que usamos en la liturgia son apropiados cuando son capaces de portar el peso de los misterios que celebramos, "de tal manera que podamos, simultáneamente, ver y percibir la obra de arte en sí y ese algo que va más allá de ella" (*La Ambientación y el Arte en el Culto Católico*, 22).

Algo es apropiado cuando está al servicio de la liturgia. ¿El acomodo del espacio de oración, así como él mismo, está al servicio de la oración de la asamblea? ¿De qué manera ayuda la iluminación a la oración que se realiza en nuestro espacio? ¿El espacio de culto es hospitalario, cálido, familiar y humano? ¿La acústica del lugar ayuda a nuestro canto y a la proclamación de la Palabra? Éstas son algunas de las preguntas que nos pueden ayudar a determinar qué es apropiado para la liturgia.

La Iglesia necesita apoyar a aquellas personas que tienen los talentos y cualidades necesarias; pedirles que traigan calidad y propiedad a cada objeto que usamos en la liturgia. La declaración de los obispos resalta que: "Es necesario un mayor y constante esfuerzo educativo entre los creyentes para restaurar en todas las artes el respeto al talento y a la maestría; y, un deseo, por el mejor uso de tales cualidades en el culto público. Esto significa que hay que atraer de nuevo al servicio de la Iglesia a profesionales cuyos lugares han sido tomados, desde hace mucho tiempo, por productores 'comercializados' o por voluntarios que carecen de las cualidades apropiadas. Tanto la sensibilidad a las artes como la disposición de invertir en recursos para ellas, son las condiciones de desarrollo para que la calidad y la cualidad puedan ser una realidad". (*La Ambientación y el Arte en el Culto Católico*, 26)

1. ¿Cuál es tu cuarto favorito? ¿Qué es lo que hace que este cuarto sea tu favorito: su belleza, dimensiones, forma, color u otras cosas? ¿Solamente es esto lo que te hace amarlo, o también influye la gente con la que has compartido ese espacio?

2. En tu comunidad, ¿de qué manera sirve el acomodo y dimensiones del espacio de culto a la oración y canto de la asamblea? ¿Es hospitalario, familiar, humano y cálido?

3. ¿Cómo funciona la acústica en ese lugar? ¿Aviva el culto y la oración de la comunidad, o, por el contrario, la empaña y empobrece?

4. ¿Qué efecto tienen diferentes tipos de pisos en la oración comunitaria? Visita una parroquia que tiene alfombrado su piso y escucha atento los sonidos, piensa en cómo suenan. Visita una parroquia que tenga piso de madera, mármol, ladrillo o piedra y repite la misma experiencia. ¿Cómo se escucha? Dialoga en el equipo de liturgia sobre las diferencias a la luz del principio "calidad y propiedad" al servicio de la liturgia.

La liturgia, para ser fiel a sí misma y proteger su propia identidad, debe tener ciertas normas. Dichas normas se reducen básicamente a dos: calidad y cualidad. Sin importar el estilo o tipo, no hay arte que tenga derecho alguno a tener cabida en la celebración litúrgica, si no posee alta calidad o si no es apto para ella.

La calidad se percibe únicamente por medio de la contemplación, apartándose de las cosas y esforzándose para realmente verlas, tratando de permitirles que hablen por sí mismas a quien las contempla. Ciertas costumbres culturales han condicionado a la persona de hoy en día a considerar las cosas desde un punto de vista más pragmático: "¿Cuánto valen?", "¿Para qué sirven?" Por medio de la contemplación uno puede ver, en cambio, el distintivo de la mano del artista, de la honestidad y el cuidado que entraron en juego al fabricar un objeto, la forma agradable, el color y la textura del mismo. Calidad, pues, significa el amor y cuidado que se ponen en la fabricación de alguna cosa, la honestidad y la integridad en la elección de los materiales, y, por supuesto, el talento especial e indispensable del artista para lograr un conjunto armonioso, un trabajo bien realizado. . . .

La cualidad es otro de los requisitos que la liturgia, con todo su derecho, pide a cualquier forma de arte que esté al servicio de su acción. Hay dos maneras de saber si la obra de arte es adecuada: 1) tiene que ser capaz de soportar el peso del misterio mismo, el temor reverencial, la reverencia y el asombro que expresa la acción litúrgica; 2) tiene que servir (no interrumpir) claramente la acción ritual, la cual tiene su propia estructura, ritmo y cadencia.

La Ambientación y el Arte en el Culto Católico, *19–21*

Ambientación III: Algunos puntos específicos

Algunos aspectos del espacio de culto tienen mayor efecto que otros en la oración de la comunidad. La mayoría de las citas en estos artículos son del documento *La Ambientación y el Arte en el Culto Católico*.

1. *Sillas.* En muchas iglesias, el hecho de sentarse sigue la filosofía de los teatros, donde la idea principal es que la gente pueda ver el lugar donde las cosas están sucediendo. Sin embargo, en la liturgia, también esto es importante, y es necesario que los miembros de la asamblea se vean el rostro no sólo la nuca, de tal forma que nadie se sienta desplazado de lo que se está realizando (razón por la que estamos congregados) y que, al mismo tiempo, haya un poco de libertad de movimiento. En su documento, los obispos hablan de los bancos o sillas, más que de las bancas, como algo fijo e inamovible, y señalan que la hechura de los bancos o sillas "para uso de la asamblea deben ser tales que intensifiquen al máximo el sentido comunitario y la participación activa. . . . Esto significa que se ha de procurar que el arreglo de asientos y muebles sea tal que la gente no se sienta apretujada, sino que se sienta estimulada a moverse con comodidad cuando sea apropiado" (68). Las sillas que se utilizan para quien preside y para otros ministros "deben ser tales que se sienta que ellos son claramente parte de una sola asamblea, aunque convenientemente situados para el ejercicio de sus oficios" (70).

2. *El altar.* "El trazo y la construcción del altar o mesa santa deben ser de lo más noble y hermoso que la comunidad pueda aportar. Es la mesa común de la asamblea, un símbolo del Señor, junto a la cual se sitúa el ministro que preside y sobre la que se colocan el pan y el vino, los vasos sagrados y el Misal"(71). El documento sugiere que " . . . la mesa sagrada, no debe ser alargada, sino más bien cuadrada o ligeramente rectangular" (72). La ropa del altar debe ser de buena calidad en el diseño, textura y color, y ésta debe colocarse encima, de tal manera que cubra el altar, pero otros objetos: velas, cruces, flores, deben colocarse en otro lugar (75, 92).

3. *La fuente bautismal.* El *Rito de Iniciación Cristiana de Adultos* nos recuerda que la inmersión como un modelo de bautismo simboliza más claramente nuestra participación en la muerte y resurrección de Cristo (*Rito de Iniciación Cristiana de Adultos*, 22). Los *Estatutos nacionales del Catecumenado*, que aparecen al final del libro ritual del *Rito Iniciación Cristiana de Adultos*, declaran que: "El bautismo por inmersión es el signo más completo y que expresa mejor la realidad del sacramento y, por lo tanto, se debe preferir" (17). Lógicamente, esto requiere que la fuente sea lo suficientemente amplia para que un adulto pueda sumergirse en ella.

4. *Los libros.* "Cualquier libro que sea usado por el ministro oficialmente en una celebración litúrgica debe ser de tamaño grande (que se note y que sea noble), de buen papel, de trazo consistente y hermoso en su tipografía y encuadernación. El uso de folletos y volantes disminuye la integración visual de toda la acción litúrgica" (91).

Los libros mensuales baratos, usualmente se deterioran después de haberlos usado unas cuantas veces, ¿Hacen pensar en la hospitalidad y bienvenida, dignidad y alegría, de respeto por el ministerio de la asamblea? O por el contrario, ¿Hacen pensar que lo que realizamos es una baratija que no tiene importancia? ¿"Está contenido el cuidado y la calidad del artista, su honestidad y cuidado . . . y la forma placentera", de tal manera que esto favorezca de forma evidente la calidad de nuestra liturgia? ¿Son apropiados para la sencillez y nobleza de la liturgia?

Consideremos ahora los demás objetos que se utilizan en el culto de la asamblea y de qué manera favorecen lo que hemos mencionado sobre la hospitalidad, la calidad y la propiedad de la liturgia.

5. *El pan.* El papa y los obispos establecieron juntos en Concilio que el pan que se utiliza en la liturgia "debe parecer alimento real" y que debe ser elaborado "de tal manera que el sacerdote pueda fraccionarlo y distribuirlo en partes por lo menos a algunos miembros de la asamblea" (*Instrucción General para el Uso del Misal Romano*, 282-283). Existen recetas disponibles para hornear pan ázimo, sin levadura o de harina integral; de esta manera, el pan que se ofrezca a la asamblea se verá, sabrá y olerá como alimento verdadero.

6. *El tabernáculo* (En muchos lugares de América Latina se le conoce como *sagrario*). La Iglesia reserva ahí el pan eucarístico; "el fin de la reserva es la administración de la comunión a los enfermos y el hacerla objeto de devoción privada" (78). El tabernáculo debe estar en "un lugar o

capilla específicamente diseñada y separada del recinto principal para que no haya confusión entre la celebración eucarística y la reserva" (78). Esta capilla sirve de una mejor manera a la oración de la comunidad ofreciendo un acceso fácil y "debe ayudar a la meditación privada y sin distracciones"(79).

1. Los elementos materiales utilizados en la liturgia pueden engrandecer notablemente la celebración. Un mantel digno para el altar, vinajeras dignas de la acción a la que sirven y ornamentos bien hechos agregan mucho carácter a la celebración litúrgica. Objetos que carezcan de la calidad o cualidad apropiada debilitarán la acción, más que hablarnos de ella. Menciona algunos de los elementos materiales que utilizamos para la liturgia. Piensa en el propósito que tiene cada uno de ellos. En tu parroquia, ¿Cuál es el criterio de calidad que se aplica?

2. Examina cada uno de los elementos mencionados a continuación a la luz de las preguntas mencionadas a continuación:

   a. cirio pascual, pan eucarístico, incienso, sillas, instrumentos musicales, presbiterio, iconografía, ambón, altar y fuente.

   b. ¿Quién utiliza estos objetos? ¿De qué manera ayudan en la celebración litúrgica? ¿Son símbolos plenos y claros (como requisito mínimo)? ¿Si un objeto es menos apropiado que otros, cómo puede mejorarse?

3. Piensa en los elementos que se cambian con el fin de responder apropiadamente a los cambios que los diferentes tiempos litúrgicos del año requieren. ¿Se coordinan entre sí? ¿Reúnen los criterios de propiedad y calidad para cada estación o tiempo litúrgico?

Los cristianos no han vacilado en usar cualquier género de arte humano en la celebración de la acción salvífica de Dios en Jesucristo; aunque en todo período histórico han estado influenciados y a veces inhibidos por circunstancias culturales. En la resurrección del Señor, todas las cosas son renovadas. Se recuperan la integridad y la salud al quedar conquistado el reino del pecado y de la muerte. Todavía las limitaciones humanas son obvias y debemos estar conscientes de ellas. Con todo y eso, debemos alabar y dar gracias a Dios con los recursos humanos que están a nuestro alcance. A Dios no le hace falta la liturgia; pero a la gente sí, y ella tiene solamente sus propias artes y estilos de expresión para celebrar.

La Ambientación y el Arte en el Culto Católico, *4*

Todos unidos I: Sabiendo lo que se siente

Bajo el título de palabra, movimiento, música y ambientación, hemos hablado de algunos elementos que son importantes en nuestros rituales. Estos son cosas o aspectos simples; es por eso que los podemos usar de diferentes maneras. Son actividades humanas, artes humanas, que pueden trascender sus propósitos prácticos de comunicación, información y el desplazamiento del cuerpo de un lugar a otro, para abrir así nuestro propio espíritu y todo el misterio de la existencia.

La historia de cualquier grupo de creyentes, incluyendo judíos y cristianos, manifiesta que a través de las generaciones los rituales han cambiado y evolucionado. Las maneras en que la palabra, el movimiento, la música y la ambientación se unen se han ajustado a las circunstancias de los tiempos, de tal manera que expresen más claramente la fe de la gente en la medida que ésta crece y cambia con el paso de los siglos. Los rituales no han sido formulados desde la teología popular, como si un académico se sentara y se pusiera a reflexionar sobre el asunto: es porque nosotros creemos esto y aquello sobre Dios, y esto y aquello sobre nosotros mismos, por lo tanto, nuestro ritual hará esto, después aquello, y así sucesivamente. Los rituales brotan espontáneamente de la fe, del espíritu: el espíritu de gratitud nos conduce a elevar nuestras manos al romper el alba; el espíritu de penitencia nos conduce a llevar la ceniza en nuestra frente. Palabras, sonidos, música, gestos y objetos, son elementos por medio de los cuales el ritual toma forma y vive en medio de la comunidad. Es así como la comunidad describe cuál es el sentido de la vida, y estos elementos fortalecen ese sentido.

El ritual está íntimamente asociado con la repetición. La gente da expresiones rituales a sus esperanzas alrededor de las cosas que ocurren una y otra vez. Entre algunas personas, estas cosas incluyen la llegada de la lluvia, o el levantamiento de la cosecha, o la luna llena. También existen rituales que marcan el tiempo libre, tales como los dichos o frases populares: "Gracias a Dios es viernes", "Si Dios quiere". También existen rituales diarios para los alimentos de la mañana, la tarde y la noche. La gente tiene rituales en los grandes momentos de la vida: el nacimiento, el crecimiento hacia la edad adulta, el matrimonio y la muerte. Los rituales permiten que el centro de la actividad que se lleva a cabo se exprese en este momento o situación particular.

La repetición de rituales, algunos anualmente, algunos otros cada semana, otros diariamente, presentan un conjunto fuerte de los elementos que conforman los rituales. Cenamos todas las tardes, pero las cenas no son iguales como la de Navidad. El día de nuestro aniversario de bodas no saludamos a nuestra esposa o esposo como lo hacemos todos los días. Los rituales diarios se estructuran de manera simple, con la libertad de tomar para ellos algunos de los elementos propios de cada día. Los rituales que no practicamos con tanta frecuencia se estructuran de una manera más elaborada.

Cuando vemos una celebración eucarística dominical, o la celebración de un bautismo o un funeral que toma lugar en la vida parroquial, u observamos la manera en que una familia realiza su oración de la mañana y antes de bendecir los alimentos, sabemos que la manera en que se combinan las palabras, el movimiento, la ambientación y la música en cualquier ritual depende de alguna manera de la frecuencia con la que se realice. Cuando vemos la manera en que los rituales funcionan y enriquecen la vida parroquial, nos damos cuenta de que nuestra tradición nos proporciona muchísimas formas de hacer oración, algunas de ellas para cada día, otras para realizarlas una vez por año y, más aun, otras para realizarlas una vez en la vida. La identidad y propiedad de cada ritual que se celebra en la parroquia depende en gran medida de un uso inteligente de nuestra tradición. Por ejemplo, si el único ritual que la parroquia experimenta es la eucaristía dominical, será difícil que los miembros de esa comunidad nutran plenamente su vida de fe, porque estarían apartados de una gran parte de su herencia ritual.

La mejor manera en que podemos ayudar a que nuestra liturgia sea la acción plena de toda la asamblea es percatándonos de la importancia y función de los rituales en nuestra vida, a lo que contribuye nuestra herencia. Necesitamos rituales fuertes y simples, sobre todo la eucaristía dominical, de tal manera que haga eco en el espíritu y la vivencia de las estaciones y del tiempo ordinario. En cada Misa, necesitamos realizar nuestros rituales de una manera rítmica, fluida y dinámica que permita que todos los elementos:

palabra, movimiento, música y ambientación, realicen su función de la mejor manera y contribuyan con toda su fuerza al enriquecimiento de nuestra oración comunitaria. Necesitamos también rituales diarios que nos comuniquen unos con otros y a la vez con la gran tradición de fe que compartimos, por la cual nos reunimos cada domingo.

1. Menciona algunos de los ritos diarios, semanales, ritos de temporada, que pertenecen a tu familia o parroquia y por medio de los cuales expresan su fe.

2. Escoge uno de los rituales mencionados anteriormente. ¿Cuáles son sus elementos? ¿Qué hace esta serie de elementos por o para nosotros?

3. ¿De qué manera la eucaristía es una acción que realizamos juntos?

4. ¿Cuáles son los elementos más importantes de la celebración litúrgica dominical?

5. ¿Qué hace por nosotros la gente que se reúne a celebrar la eucaristía?

Si la participación en la eucaristía es el centro del domingo, sin embargo sería reductivo limitar sólo a ella el deber de "santificarlo". En efecto, el día del Señor es bien vivido si todo él está marcado por el recuerdo agradecido y eficaz de las obras salvíficas de Dios. Todo ello lleva a cada discípulo de Cristo a dar también a los otros momentos de la jornada vividos fuera del contexto litúrgico—vida en familia, relaciones sociales, momentos de diversión—un estilo que ayude a manifestar la paz y la alegría del resucitado en el ámbito ordinario de la vida. El encuentro sosegado de los padres y los hijos, por ejemplo, puede ser una ocasión, no solamente para abrirse a una escucha recíproca, sino también para vivir juntos algún momento formativo y de mayor recogimiento. Además, ¿por qué no programar también en la vida laical, cuando sea posible, especiales iniciativas de oración—como son concretamente la celebración de las solemnes vísperas—o bien, eventuales momentos de catequesis que en la vigilia del domingo o en la tarde del mismo preparen y completen el alma cristiana del propio don de la eucaristía?

Juan Pablo II

Dies Dominii, *52*

Todos juntos II: Ritmo y pauta

"**L**a liturgia tiene su propia estructura, ritmo y cadencia: Es una reunión que crece en intensidad, que llega a un clímax y pasa por un descenso que desemboca en la despedida. Alterna la persona con los grupos de personas, el sonido con el silencio, la charla con el cántico, el movimiento con la inmovilidad, la proclamación con la reflexión, la palabra con la acción" (*La Ambientación y el Arte en el Culto Católico*, 25). El potencial de cualquier celebración litúrgica, que enriquezca la capacidad de los participantes de orar plenamente por medio de sus rituales, depende de lo bien que se unan los ritmos del ritual y se pongan al servicio de la oración. Desde un punto de vista, el ritual es solamente una serie de elementos, semejante a las cuentas de un rosario: ésta viene antes de ésa, pero va después de aquella. Este punto de vista significa que los participantes no tienen ningún sentido de pertenencia a su liturgia. Pero no, más que eso, nos comprometemos por medio de rituales que han sido el medio de expresión de la oración cristiana a través de los siglos, ahora confiados a nuestras manos para que oremos de una mejor manera y tengamos algo que heredar a las personas que nos seguirán.

Cuando sentimos que la liturgia es nuestra oración, la celebración concreta que este grupo de personas realiza en este preciso momento y con determinada tradición, entonces nos damos cuenta de que los elementos de la liturgia no son eslabones de una cadena, sino acciones humanas. Ellos son nosotros mismos. Nos podemos reflejar en ellos. Nombrar algunos de los elementos en el ritmo de la liturgia, como lo hace el documento anteriormente citado, ayuda en esta reflexión: "Alterna . . . entre el sonido y el silencio, la charla con el cántico, el movimiento con la inmovilidad, la proclamación con la reflexión, la palabra con la acción" (25). Antes de que dialoguemos acerca de estos elementos por el nombre particular que les hemos dado en rituales determinados, ya sea "Evangelio", "aclamación" o "bendición", podemos hablar de ellos en términos del tipo de acción que realizan: Eso es, ¿Por qué y para qué existen? ¿Qué es lo que hace que la gente viva y celebre estos rituales? ¿De qué manera reacciona la gente ante ellos?

Entre el sonido y el silencio. En algunas tradiciones litúrgicas, la mayoría de la oración ritual se realiza en silencio. Nuestra tradición insiste en la importancia del silencio, incluso en la oración común, mientras que se le da una gran prominencia al sonido (palabras habladas y cantadas, cantos, música, campanas). Pero cada uno de estos elementos tiene su fuerza y toma su fuerza de otro elemento. Por ejemplo, dondequiera que la Palabra de Dios es proclamada, existe una necesidad humana de reflexión y silencio. Es posible que la "prisa" o el "apúrate" de la sociedad moderna sea tan natural a nosotros que nos resulte difícil dejar que el silencio penetre nuestra vida y que se extienda más allá de unos segundos. Si no se guarda un momento apropiado de silencio, esto romperá el ritmo, el vaivén del sonido y el silencio. A fin de que la oración y reflexión florezcan, necesitamos que el silencio sea lo suficientemente amplio como para adentrarnos en él. La oración comunitaria hecha en silencio, por la asamblea, los ministros y quien preside, tiene una fuerza y calidad que no es la misma que tiene el silencio de la oración individual. La asamblea, en este tipo de silencio, sabe lo que significa orar juntos. El silencio permite que las palabras hagan eco en el corazón de la asamblea. De manera semejante, a un músico excepcional le preguntaron en cierta ocasión, cómo cantaba y llevaba las notas de una manera tan perfecta y respondió: "Las notas que toco y canto no son mejores que muchas otras, pero el verdadero arte reside en los descansos que están entre las notas".

Entre la charla y el cántico. Dada su propia naturaleza, algunos elementos de la liturgia necesitan la fuerza del cántico, especialmente las aclamaciones, las letanías y los salmos. Otros elementos, dada su importancia en la liturgia, se les debe dar un énfasis y reverencia especial: las bendiciones solemnes, la oración eucarística. Aun así, otros elementos, especialmente la Escritura, funcionan mejor cuando son proclamados de viva voz.

Entre el movimiento y la inmovilidad. La inmovilidad balancea los movimientos de las procesiones y de los gestos litúrgicos. La inmovilidad es necesaria en ciertos momentos, y su ausencia puede ser lamentable. Ésta es particularmente necesaria durante los momentos de silencio. Si durante los momentos de silencio la persona que preside está buscando algo en el libro o limpiando el cáliz y la patena, no importa qué tan discreto lo haga, la fuerza del silencio y de la inmovilidad se pierde. Así de sencillo.

La reverencia contiene todo lo necesario para hacerlo en paz, con el tiempo necesario. Cuando la liturgia es el trabajo de toda la persona, se unen el cuerpo y el espíritu y entonces la belleza de la oración se torna en una paz muy reverente. La manera litúrgica de realizar algo no tiene nada que ver con la eficiencia; el apresurar la liturgia sólo trae como resultado algo mediocre y sin sentido.

1. ¿Has escuchado alguna vez el sonido del silencio cuando un grupo de familiares y amigos se reúnen alrededor de la tumba de una persona cuyo nacimiento marcó el inicio de una nueva generación? ¿El gran silencio de una ola que alcanza la orilla del mar? ¿El silencio de los buenos amigos? ¿El silencio expectante de la develación de una obra de arte? El silencio es la otra mitad de nuestra vida pulsar. Escúchalo en tu oración.

2. Ser una persona de silencio y estar en silencio en la liturgia no es algo fácil en nuestra cultura activista y ruidosa. Pero es una razón más para que el silencio y pertenencia a nuestro culto mantenga el ritmo y la pauta necesarios en la liturgia, que nos hace sentir en casa cuando estamos en medio de una oración comunitaria. ¿En qué momentos de la Misa necesitamos el silencio? ¿Es difícil para la gente mantenerse en un lapso generoso de silencio? De ser así, ¿qué se puede hacer respecto a esta situación?

3. ¿Qué podemos hacer para evitar que la ansiedad propia de la cultura moderna sea parte de nuestra liturgia?

4. Nota la diferencia entre una comida placentera en un lugar cómodo y amplio y una cena en un establecimiento de comida rápida. ¿Cómo puede compararse esto con tu experiencia de la liturgia?

La dirección primaria y exclusiva de la liturgia no es la expresión de la reverencia de un grupo de individuos que dan culto a Dios. Inclusive, no tiene nada que ver con el despertar, la formación ni la santificación individual del alma en cuanto tal. Tampoco el individuo tiene la responsabilidad de la acción litúrgica y de la oración; inclusive, esto no descansa en los grupos colectivos, compuestos de numerosos individuos, que periódicamente alcanzan una unidad intermitente y limitada en su capacidad como una congregación de la Iglesia.

La entidad litúrgica consiste, más que en la unidad del cuerpo de los fieles, la Iglesia, en un cuerpo que sobrepasa infinitamente la mera congregación. La liturgia es la acción cúltica pública y legal de la Iglesia, y ésta es conducida por oficiales a quienes la Iglesia misma ha designado para este puesto: sus sacerdotes. En la liturgia, Dios es honrado por el cuerpo de los fieles, y los fieles han de deducir la santificación a partir de este acto de culto. Es importante que este objetivo natural de la liturgia se entienda plenamente. . . . El hecho de que el individuo católico, hombre o mujer, por su absorción en la unidad más alta, encuentre unidad, encuentre libertad y disciplina, tiene sus raíces en una doble naturaleza del ser humano, que es ambos aspectos: social y solidaria.

Romano Guardini

Todos juntos III: Entre los individuos y los grupos

El ritmo y la paz son elementos muy importantes en una buena liturgia, y no son solamente cuestiones de sonido y silencio, movimiento e inmovilidad. También existen los ritmos de intercambio entre la gente. Éste no es un acuerdo arbitrario que se realiza para asegurarse de que cada persona esté haciendo lo que debe hacer. Ésta es la naturaleza de la liturgia.

En el ritual se deben realizar diferentes cosas. El ritual en sí mismo programa un ritmo que tiene que darse entre los participantes, dado que algunas personas han desarrollado sus talentos para dirigir el canto de la asamblea, algunos más para proclamar la Escritura, otros para predicar y otros más para presidir la oración de la comunidad. Todos estos participantes primero se hacen presentes como miembros de la asamblea, y después ejercen varios ministerios al servicio de la misma asamblea. El ritmo de las diferentes acciones rituales se crea en la medida en que interactúan los ministros y la asamblea. En la medida en que los ministros desarrollan sus dones de proclamación, dirección del canto, dirección de la oración, también se desarrollan en el cuidado y la atención por la manera en que se apoyan entre sí.

La *Constitución sobre la Sagrada Liturgia*, del Concilio Vaticano II, nota que "En las celebraciones litúrgicas, cada cual, ministro o simple fiel, al desempeñar su oficio, hará todo y sólo aquello que le corresponde por naturaleza de la acción y las normas litúrgicas" (25). Ciertamente existen personas que pueden desempeñar muy bien varios ministerios: pueden proclamar de manera excelente y de igual forma dirigir el canto de la asamblea, personas que pueden tocar el órgano, la guitarra o el pandero y predicar de una manera excelente. De hecho, existen personas que pueden hacer todo bien. Pero eso no cambiará el principio que envuelve nuestra oración, porque no sólo se busca la excelencia en cada ministerio litúrgico, sino que como parte de este ritmo existe la necesidad de la participación de muchas personas y del compartir de sus dones con los demás miembros de la asamblea, puesto que las necesidades por las que la gente ora merecen esto y mucho más. La oración de la comunidad es muy importante, porque es ésta construye y forma a un lector, al coro, al cantor y al que preside para que interactúen con la asamblea. Esta interacción no significa que

una parte es pasiva y la otra es activa. La pasividad dista mucho de una buena proclamación, un canto ejecutado de buena manera, la calidad del ministerio del que preside, de la buena liturgia. La atención mutua, manifestada no solamente en el volumen o intensidad del canto y la predicación, sino también en los ojos y en la postura, es la motivación más grande que puede recibir el que preside la liturgia [obra de la comunidad], al cantor, al lector y a la asamblea misma a realizar su función de buena manera.

La liturgia de la Palabra ofrece un buen ejemplo de este ritmo entre las personas. Un lector proclama la primera lectura y después viene un período de silencio. Después del silencio, el cantor inicia el canto de la primer estrofa del salmo y la asamblea entera responde con el estribillo. Una segunda proclamación de la Escritura nos llama a otro período de silencio. Aquí el silencio y la inmovilidad florecen en la procesión con el Evangeliario, cuando el diácono y los acólitos se desplazan solemnemente hacia el ambón y la asamblea entera inicia el canto del aleluya. Se anuncia el Evangelio y después se predica la homilía. Otro silencio. Después la persona que preside invita a la asamblea a orar y el cantor dirige la letanía de las intercesiones.

En cada parte de la liturgia de la eucaristía la dinámica es diferente. La preparación de la mesa y los dones hace que la asamblea interactúe con aquellas personas que realizan la colecta (o incluso acompaña a la procesión con el dinero que se destinará para los pobres y para la Iglesia) y algunos miembros de la asamblea traen el pan y el vino a la mesa. La persona que preside ayuda en la preparación de la mesa y pronuncia la oración que concluye esta parte del ritual. Esta preparación del rito depende en gran medida de la manera en que la liturgia se realiza a nivel local. En la oración eucarística, el desafío es una participación fuerte de la asamblea en lo que el ministro verbaliza o canta la oración y cada uno de los ahí presentes afirma y aclama, o simplemente participa en lo que se está realizando. Hay una conclusión clara y contundente a este momento en el gran Amén. Después, el rito de comunión tiene un ritmo muy diferente. El que preside sirve para introducir varios elementos. Hace esto con algunas palabras para introducir la Oración del Señor, el saludo de paz, la procesión para la comunión, y con la acción de partir el pan para cantar la letanía del

Cordero de Dios. La asamblea realiza estos ritos completamente: cantando la Oración del Señor, intercambiando el saludo de paz, cantando la letanía del Cordero de Dios y realizando la procesión para la comunión. La procesión en sí misma tiene un ritmo propio, de capital importancia, entre el ministro que ofrece el pan o el vino y los miembros de la asamblea que responden con una palabra y una acción. El canto apropiado es parte esencial de la procesión. Después de la procesión, el silencio y la inmovilidad debe abrazar a cada uno de los asistentes, incluyendo a todos los ministros, hasta que el que preside concluya el rito con la Oración después de la Comunión.

En tales ritmos, la asamblea toma su tarea de manera seria y responsable y la Iglesia ejerce su tarea de tal manera que el Cuerpo de Cristo edifica.

En nuestra Arquidiócesis, nosotros, los católicos, provenimos de muchas culturas con muchos dones diferentes. El Señor nos ha reunido y estamos llamados a formar el Cristo total juntos. En cuanto a población, somos predominantemente de culturas hispanopalantes, con toda la diversidad que esto implica. Pero contamos también con muchas culturas de Asia y de las Islas del Pacífico, así como con la diversidad cultural de aquéllos que provienen de varias culturas africanas y europeas, que han tenido su propio desarrollo en este continente. Y la diversidad de riquezas culturales representa también una riqueza cultural.

Esto representa un reto difícil. Sí, queremos una liturgia con sonidos y gestos que fluyan del alma religiosa de un determinado pueblo, ya sea vietnamita o mexicano, nativo americano o afroamericano. Pero tenemos un alma católica. Necesitamos dar testimonio de que tenemos esta alma, de que estamos en asambleas en las que la visión de Pablo se vuelve realidad, en las que los vietnamitas, los mexicanos, los nativos americanos y los afroamericanos se sientan, lado a lado, alrededor de la mesa, cantando y dando gracias a Dios. Y aunque esa acción de gracias puede tener el ritmo de una cultura particular, todos se unirán a ella con el corazón. Antes que nada—antes que cualquier característica de sexo, etnicidad, nacionalidad o ciudadanía —debemos ser el Cuerpo de Cristo, ser hermanos y hermanas por nuestro Bautismo. Sin embargo, cada uno de nosotros necesita conocer de memoria algo de música, vocabulario, movimiento y maneras de pensar y de sentir que no sean los nuestros propios.

Tenemos que obtener dos resultados: dejar que la liturgia actual tome el ritmo, los sonidos y la forma que las otras culturas aportan, y esforzarnos en nuestras parroquias por atestiguar que en esta Iglesia ya no hay este o aquel pueblo sino una única asamblea en Cristo Jesús.

Cardenal Roger Mahony

La inculturación

Esta es una palabra nueva que no existía antes del Concilio Vaticano II; sin embargo, ha estado en el espíritu de la Iglesia desde sus orígenes. Está en el nacimiento de la Iglesia misma, con la venida del Espíritu Santo, aunque el principio teológico fundamental de la inculturación es la encarnación de Jesucristo, quien se encarna en una cultura concreta de nuestra historia.

El idioma es un punto importante en el proceso de inculturación, pero no el único. De hecho, la inculturación y la catolicidad de la Iglesia no pueden darse por separado. ¿Cómo podemos hablar de una Iglesia que es católica (universal) que no está formada por pueblos de toda raza, lengua y nación? Más aun, una catolicidad que corre el riesgo de vivirse fuera del contexto cultural en el que se encuentra, creando así un divorcio entre la cultura y la fe.

La inculturación nos refiere a una integración de la cultura en el mundo de la fe. La Iglesia "reinició" su proceso de inculturación con la promulgación de la *Constitución sobre la Sagrada Liturgia*, replanteándose así su propia identidad en medio de una cultura cambiante. El párrafo 37 refleja más claramente esta realidad:

> La Iglesia no pretende imponer una rígida uniformidad en aquello que no afecta a la fe o al bien de toda la comunidad, ni siquiera en la liturgia; por el contrario, respeta y promueve el genio y las cualidades peculiares de las distintas razas y pueblos. Estudia con simpatía, y si puede, conserva íntegro lo que en las costumbres de los pueblos encuentra que no esté indisolublemente vinculado a supersticiones y errores, y aun a veces lo acepta en la misma liturgia, con tal que se pueda armonizar con su verdadero y auténtico espíritu.

La inculturación requiere de un diálogo mutuamente enriquecedor entre cultura y fe, reconociendo todo lo que puede implicar o implica el concepto de "cultura". A saber: "Con la palabra cultura se indica el modo particular como, en un pueblo, los hombres cultivan su relación con la naturaleza, entre sí mismos y con Dios" (*Puebla*, 386).

En este país no es posible hablar de una sola nacionalidad o de una sola cultura. Existen muchas expresiones culturales que enriquecen la experiencia litúrgica de la Iglesia y hay que admitir que no es posible limitarnos al uso de una sola cultura, de sus gestos, expresiones, música, ambientación, ministros, ministerios, danzas, gestualidad, maneras de orar, y sobre todo, con un gran sentido de las personas, siendo ellas la parte central de todo el desafío de la inculturación, pues si olvidamos este aspecto, lo demás pierde sentido.

La inculturación no se limita a un concepto, sino que es una experiencia de vida. Si nuestros gestos culturales en la liturgia no reflejan adecuadamente la realidad de la parroquia, no es posible decir que existe un espíritu realmente inculturado. Inculturar es integrar, y consiste en algo más que poner sobre el altar un zarape o una cobija multicolor traída de Perú. La inculturación es una manera de ser Iglesia, un proceso de integración de las culturas que forman parte de nuestra parroquia, es un reconocimiento y aceptación justa de las personas y de sus valores culturales en todas sus expresiones. Así pues, una liturgia inculturada crea el ambiente en medio del cual toda persona se siente en su propia casa, la casa de la Iglesia.

Una vez que se experimenta la inculturación, ella misma habla al corazón de la asamblea litúrgica y pasa a ser una bendición pastoral para la Iglesia. Precisamente en el contexto cultural de este país, la comunidad hispana puede tomarse como muestra de esta realidad.

La religiosidad popular es otro elemento que forma parte de nuestro proceso de inculturación. Está contenida en una experiencia precolombina de más de 500 años, en la cual sobreabundan las expresiones de fe y cuyo estudio no lo encontramos en las grandes bibliotecas, sino en el caminar del pueblo sencillo que celebra su fe mestizamente, con una mezcla de elementos indígenas, europeos y africanos. Según el documento de *Puebla*, la religiosidad popular también se conoce como religión del pueblo, piedad popular o catolicismo popular (444). Según el mismo documento, por religiosidad popular entendemos "el conjunto de hondas creencias selladas por Dios, de las actitudes básicas que de esas convicciones derivan y las expresiones que las manifiestan. Se trata de la forma o de la existencia cultural que la religión adopta en un pueblo determinado" (444). "Es un conjunto de valores que responde con sabiduría cristiana a los grandes interrogantes de la existencia" (448).

El mismo documento plantea más claramente la necesidad de la inculturación por medio de la "mutua fecundación entre liturgia y piedad popular que pueda encauzar con lucidez y prudencia los anhelos de oración y vitalidad carismática que hoy se comprueban en nuestros países" (465). La idea de la fecundación mutua manifiesta que ambos procesos están en continuo crecimiento y que por lo tanto no son algo terminado. En la misma línea, la inculturación reconoce las "semillas del Verbo" (451) que se encuentran en cada cultura y busca celebrarlas de manera diferente, enriqueciéndose a sí misma con su proceso y crecimiento. Es así que si las semillas del Verbo han estado presentes en la cultura, es posible reconocer en ellas otra fuente de revelación divina.

Negar esta posibilidad, en las palabras del padre Ansgar Chapungco, " . . . es equivalente a negar la universalidad de la salvación".

1. ¿Recuerdas haber participado en una celebración multicultural? ¿Puedes compartir esta experiencia con el grupo?

2. ¿Cómo crees que debería ser una celebración multicultural? ¿Cuáles serían las fechas apropiadas de implementación?

3. ¿Sabes cuántas culturas conforman la identidad de tu parroquia? ¿Cómo lo sabes?

4. ¿Cuáles son algunos obstáculos para una verdadera inculturación de la liturgia? ¿Cómo pueden evitarse?

5. ¿Cómo pueden formar un equipo de liturgia verdaderamente multicultural?

Si después de una seria catequesis bíblica y litúrgica la liturgia presentada en las ediciones típicas (originales) de los libros litúrgicos no es comprendida por el pueblo de una cierta cultura, o no permite que la asamblea de esa cultura participe en los ritos con facilidad, la Iglesia local y universal no sólo tienen la opción, sino la verdadera obligación de inculturar los ritos. Ésta es una afirmación del artículo 40 de la *Constitución sobre la Sagrada Liturgia,* que permite adaptaciones radicales de la liturgia si el contexto cultural es tal que los ritos no sean inteligibles para los fieles.

Mark R. Francis, CVS

La inculturación así entendida tiene su lugar en el culto como en otros campos de la vida de la Iglesia. Constituye uno de los aspectos de la inculturación del Evangelio, que exige una verdadera integración en la vida de fe de cada pueblo, de los valores permanentes de una cultura más que de sus expresiones pasajeras. Debe, pues, ir unida inseparablemente a una acción más vasta, y a una pastoral concertada que mire al conjunto de la condición humana.

Como todas las formas de acción evangelizadora, esta tarea es compleja y paciente exige un esfuerzo metódico y progresivo de investigación y de crecimiento. La inculturación de la vida cristiana y de sus celebraciones litúrgicas, para el conjunto de un pueblo, sólo podrá ser el fruto de una maduración progresiva en la fe.

La Liturgia Romana y la Inculturación, 5

¿Quién hace la liturgia?

Los rituales que forman y cambian la vida humana y la vida del mundo entero toman lugar cuando se reúne el pueblo de fe. Ellos no pueden suceder cuando uno está solo. Traemos a los rituales lo que tenemos: necesidades y dones.

En los grandes rituales de la Tradición cristiana, especialmente la eucaristía, los distintos elementos como las Escrituras para ser leídas, los salmos para ser cantados y la comunión para ser compartida atraen muchos dones de muchísimas personas diferentes que actúan juntas.

Los buenos rituales no son mágicos, tampoco son automáticos. Necesitan lo que todos juntos podemos darles. En esta unidad daremos una mirada más cercana a los diferentes ministerios de la asamblea que nos ayudan a hacer la liturgia de la Iglesia.

¿Quién hace la liturgia?

Las palabras "ministerio" y "ministro" se escuchan con mayor frecuencia en nuestros días. Escuchamos, por ejemplo, ministerio a los enfermos, ministros de la comunión, el ministerio del diácono. Estas palabras nos ayudan a entender cómo nos relacionamos unos con otros en la comunidad de la Iglesia. La reflexión acerca de las Escrituras y de la vida de los santos y santas ha tenido un gran impacto entre nosotros, de tal manera que hay muchos ministerios en la vida de la Iglesia. En cada caso, el que ministra (a los enfermos, los presos, los ancianos, etc.) se enriquece con su propio ministerio; se ministra a sí mismo.

Cuando hablamos del ministerio en la liturgia, o de varios ministerios litúrgicos tales como acólitos y ujieres, expresamos nuestra concientización de cómo varios miembros de la Iglesia realizan tareas específicas. Expresamos también nuestra concientización de que todas estas tareas están al servicio de la comunidad entera. Como declara el documento *La Ambientación y el Arte en el Culto Católico*: "A Dios no le hace falta la liturgia; pero la gente sí, y ella tiene solamente sus propias artes y su propio estilo para celebrar" (4). En nuestra necesidad por la liturgia, para la realización de un buen ritual juntos, ofrecemos nuestros talentos en diferentes maneras a fin de que nuestra liturgia sea fuerte y hermosa. Esto es todo lo que tenemos.

Esta disposición de nosotros mismos es ministerio. Cada ministro, ujier, cantor u homilista, surge de la comunidad. Es allí, en la Iglesia misma, donde encontramos que nuestro ministerio verdaderamente tiene sentido. El ministerio es básicamente la manera en que los cristianos son y actúan. Eugene Walsh ha desarrollado esta idea de la siguiente manera:

> Leemos "ministerio" de igual manera que "servicio". Ciertamente éste ha sido un paso hacia adelante, pero sostengo que debemos tener un punto de vista radicalmente diferente acerca de lo que realmente es el ministerio. Henri Nouwen ofrece el más claro pensamiento sobre este punto de vista al insistir en que el ministerio no significa "hacer cosas para" la gente, sino "estar con" la gente. Ministrar en su nivel más profundo significa "estar presente" para los demás. Significa cuidar de otros lo suficientemente como para desear "estar con" ellos, continuar "poniendo atención" en ellos, seguir estando con ellos, atendiéndolos a ellos. La presencia personal es el primer elemento para la efectividad del ministerio. Si mientras estás presente hay cosas que se pueden hacer por la gente y servicios para ofrecer, eso está bien. Pero "hacer por" es muy secundario al estar presente. . . . Ser un verdadero ministro significa una mayor entrega de sí mismo. *(The Ministry of the Celebrating Community)*

Esto ayuda bastante en el entendimiento de lo que verdaderamente sucede en la liturgia. Todos los ministerios tienen que ver con el servicio. Pero es cierto que en la mayoría de los rituales humanos, como el tener un desfile del día de la Independencia o la cena de acción de gracias, muchas personas asumen funciones especiales y sirven a una comunidad más grande. Lo que distingue este ministerio en la liturgia es la motivación del ministro: lo primero no es dignidad de la función que cada uno desempeña, sino el hecho de que a través de esta función uno puede estar presente, estar ahí, estar con los demás.

Eso no disminuye la importancia de hacer bien un ministerio. Tampoco es cierto que una buena disposición nos capacita para realizar efectivamente cualquier ministerio. De hecho, cada ministerio requiere de cualidades muy específicas, cualidades que en la mayoría de los casos están presentes y pueden ser reconocidas en una persona y luego se desarrollan en la medida en que la persona aprende y realiza ese ministerio específico. Los ministerios son funciones del ritual que celebramos: no son oficios o rangos sobre los cuales hacemos nuestra oración. Al contrario, los ministerios litúrgicos se desarrollan en sí mismos de manera natural, gracias a la oración en comunidad, como maneras de traer expresiones dignas de la Palabra, la música, el movimiento, la ambientación y los modelos que toma.

En lo que hablamos de los diferentes ministerios, naturalmente recordamos la Misa como nuestro ritual comunitario más común. Sin embargo, los ministerios son parte importante de cada reunión de oración: oración de la mañana, el rezo del santo rosario, el sacramento de la reconciliación. Cuando nosotros miramos cada rito por separado y nos preguntamos qué es lo que estamos haciendo, qué tipo de oración queremos que ésta sea, sabemos que los ministerios son los que responden a esas cuestiones.

Por supuesto que nadie puede hacer todo en la liturgia igualmente bien. Algunas personas tienen las cualidades necesarias que hacen de ellos verdaderos ujieres que dan la bienvenida, en lo que otras cualidades hacen de ellos o de otros lectores capaces, que se funden en el mensaje que proclaman, y de otras personas que son excelentes ministros de la comunión. Cuando las personas con ciertas cualidades coinciden con los desempeños litúrgicos que requieren de esas cualidades, el ritual puede hablarnos de una manera más poderosa, invitándonos a la oración.

Los buenos ministros refrescan la vida en los rituales que infunden una mayor vida en todos nosotros.

1. ¿Quién hace la liturgia en tu comunidad?

2. ¿Qué necesidades hay en la liturgia, por ejemplo, lecturas para ser proclamadas, ambientes para ser decorados, un anuncio para ser comunicado? ¿Cómo se cuidan estos aspectos dentro de la liturgia? ¿Qué cualidades se requieren de la gente que responde a las necesidades litúrgicas de nuestra comunidad?

3. ¿Cómo se coordinan los diferentes ministerios litúrgicos?

Con razón, entonces, se considera a la liturgia como ejercicio del sacerdocio de Jesucristo. En ella, los signos sensibles significan y, cada uno a su manera, realizan la santificación del hombre; y así el cuerpo místico de Jesucristo, es decir, la Cabeza y sus miembros, ejerce el culto público íntegro.

Constitución sobre la Sagrada Liturgia, 7

Debido a la importancia central de los ritos litúrgicos en el descubrimiento dentro de una comunidad de la importancia de los lineamientos, y por presentar la misteriosa santidad de Dios, la asamblea litúrgica continúa siendo, como lo ha sido por siglos, decisiva para el entendimiento propio de la Iglesia. Es en la asamblea donde la Iglesia aprende que la verdad puede y debe ser celebrada, y la mera forma física que toma esta plegaria pública al Dios santo contribuirá al trabajo lento de la reflexión teológica.

Mary Collins

La asamblea

Bastantes cosas deben hacerse por muchas otras personas a fin de que la Liturgia Dominical sea celebrada en la parroquia. Está el sacerdote, quien es líder y presidente de la celebración. Está el lector, que es quien prepara y proclama las Escrituras. Hay un líder para el canto. Hay un organista u otros músicos. Están aquellos y aquellas que distribuyen la santa comunión. Hay acólitos o servidores del altar. Hay ujieres. Posiblemente haya un diácono. Hay un homilista quien usualmente es el que preside la celebración o el diácono. Como entre bambalinas hay más personas que colaboran en la Liturgia Dominical cuyo papel es muy importante: aquellos que preparan, limpian y decoran el edificio a fin de que esté listo para la celebración, los que escriben algunas partes específicas de la liturgia para este domingo y los que ayudan a coordinar la acción completa de la liturgia. No olvidemos a quienes hacen el vino y hornean el pan.

Todas estas personas tienen un ministerio debido a la asamblea que es el nombre que usamos para designar a todos y cada uno de los allí presentes. Todos y todas son miembros de la asamblea antes de convertirse en lectores o ujieres. Pese a todo esto, ¿Cuál es el ministerio de la asamblea?

¿Qué sería una fiesta de cumpleaños si no cantamos las *"mañanitas"* o el *"happy birthday"*? ¿Qué sería un partido de fútbol si nadie echa porras o apoya a su equipo favorito? ¿Qué sería una cena navideña si no se hablan unos con otros? ¿Qué sería la celebración de Nuestra Señora de Guadalupe si no cantamos *"La guadalupana"*? Todos estos eventos, estos rituales, son un llamado a que las personas realicen diferentes tareas: cocinar el pastel, echar porras, animar la conversación, cantar y animar a la asamblea. Pero más que eso, antes que todo, ellos necesitan gente ansiosa de prestar su voz, manos e inclusive corazón con el fin de que algo suceda, gente que solamente desea estar reunida y hacer de su tiempo juntos un buen momento.

Todos los ministerios especiales dependen de lo que todos somos parte importante: la asamblea. Eso parece ser un gran cambio en la manera de concebir la Misa Dominical como "ir a la iglesia" u "oír Misa entera", de concebir la Misa como un momento para recitar oraciones privadas mientras que el sacerdote y los acólitos realizan el ceremonial de la liturgia. Parece haber un gran cambio silencioso de lo que parece tener en mente la gente que busca la última banca para sentarse y trata de no sentarse muy cerca de alguien más. Todos los cambios de los últimos treinta años no son por el bien de Dios, sino por el bien de la asamblea: para hacer posible que veamos nuestro ministerio y lo mejoremos cada vez más. Presidentes, lectores y músicos pueden hacer mucho, pero la liturgia se realiza plenamente por toda la asamblea. La asamblea, nosotros, nos reunimos juntos por el interés de recordar quiénes somos como pueblo de Dios y, en medio de esta concientización, ofrecemos nuestra alabanza y gratitud, nuestras peticiones y nuestro arrepentimiento.

La manera en que esto se realiza es muy concreta. Lo primero que la asamblea hace es congregarse, dándose la bienvenida mutuamente, tomando los lugares que están cerca del altar y de cada uno de los allí presentes. Las asambleas deben congregar, convocar y reunir: eso es tan esencial al ministerio de la asamblea como lo es la voz para el líder del ministerio del canto. La liturgia no se afecta negativamente al sonreírnos mutuamente, o al sentarnos juntos y al intercambiar un breve saludo. Por semejantes cosas nuestra liturgia puede ser más poderosa, fuerte y real, o de lo contrario puede ser disminuida en la abstracción.

Esta convocatoria no necesita ser forzada. No tenemos que cambiar nuestra personalidad para poder manifestar nuestra fe. Venimos juntos por la oración de la comunidad. El hecho de que esta oración sea familiar no le quita nada de belleza a la oración que es lo suficientemente seria respecto a ella misma y a la persona o personas que la proclaman.

Durante la Liturgia de la Palabra, la función de la asamblea es escuchar atentamente la proclamación de la Palabra de Dios. No hay necesidad de que los miembros de la asamblea usen textos impresos de la Palabra que escuchan, excepto aquellas personas que hablan un idioma diferente al que está siendo leído, o quienes tienen dificultades para oír, o alguien que por alguna razón u otra no puede entender plenamente la proclamación. La asamblea apoya al proclamador y al presidente dándoles sus ojos, signo de una atención plena, y proclamando en su debido momento respuestas lo suficientemente claras y fuertes. Durante la liturgia de la Palabra, también reflexionamos en silencio sobre lo que hemos escuchado, y en nuestra respuesta al salmo. De pie, nos hacemos parte de la fuerte aclamación del aleluya para antes del Evangelio. Escuchamos las reflexiones del homilista sobre las Escrituras. También le acompañamos en una lista de peticiones por todo el mundo y la Iglesia universal.

Durante la oración eucarística, la función de la asamblea es la aclamación. Las aclamaciones son la manera en que damos voz a nuestra alabanza y acción de gracias, que es lo que significa la palabra "eucaristía".

Después es la fracción del pan y la asamblea comparte la comunión. A través de toda la liturgia, la postura corporal y el movimiento son parte importante del ministerio de la asamblea, en la comunión, son de vital importancia. En la procesión, en la reverencia con la cual nosotros sostenemos el pan, la copa y a nosotros mismos, experimentamos nuestra santa comunión con nuestro Señor.

La liturgia pide mucho de la asamblea. Algo que la liturgia necesita de todos nosotros es ser hablada, expresada, parte de ella ser cantada, algo para ser comunicado a través de los ojos, y otra parte por todo el cuerpo, algo más pide la atención de nosotros mismos como asamblea, no como meros individuos que se encuentran por coincidencia en el mismo lugar y al mismo tiempo. El ministerio de la asamblea es el que crea la diferencia.

Cada miembro de la asamblea quien, por la virtud de su bautismo, ofrece activamente un sacrificio de acción de gracias; cada uno es un celebrante, con un presidente común. Entonces la forma y calidad del culto no dependen totalmente del que preside, de los coordinadores de música o de la liturgia, sino de cada uno de los miembros de la asamblea entera. Nos agregamos a cada hecho y momento de nuestro culto.

1. ¿Habías pensado anteriormente que la liturgia era para Dios? ¿Existen dimensiones prácticas al decir: "Dios no necesita la liturgia; la gente la necesita"?

2. ¿Cuáles son las implicaciones de este capítulo en tu comunidad?

3. ¿Cómo vas a dialogar sobre la "concientización de la asamblea" con las personas que la mayoría de las veces se sientan en las últimas bancas de la iglesia?

Entre los símbolos que la liturgia trata, ninguno es más importante que esta asamblea de creyentes. Comúnmente se usa el nombre de iglesia al hablar del edificio en donde dichas personas se reúnen para rendir culto; pero el uso de este término puede prestarse a confusiones. En el decir de los primeros cristianos, el edificio que se utilizaba para el culto tenía el nombre de *domus ecclesiae*, la casa de la Iglesia.

La vivencia más intensa de lo sagrado se halla en la celebración misma y en las personas que participan en ella, es decir, en la acción de la asamblea: palabras que dan vida, gestos que indican vida, sacrificio vivo, alimento de vida.

La Ambientación y el Arte en el Culto Católico, *28–29*

❖

Lo más grandioso de la Iglesia son ustedes, los que no son sacerdotes ni religiosas, sino que en la entraña del mundo, en el matrimonio, en la profesión, en el negocio, en el mercado, en el jornal de cada día, ustedes son los que están llevando el mundo y de ustedes depende el santificarlo según Dios.

Oscar A. Romero

El presidente

La palabra "presidente" con frecuencia se usa en vez de "celebrante" para designar la persona que dirige la oración de la asamblea en el culto. Es una palabra más precisa porque cada uno de los que están presentes celebran la liturgia, pero sólo una persona sirve como presidente. La palabra tiene en sí misma sus desventajas: es asociada con el que preside las reuniones o con los jueces que presiden la corte o con el presidente del país. Pero la palabra nos enfoca en lo básico de este ministerio: el sacerdote-celebrante sirve como el punto de atención de la oración de la comunidad. Conoce la liturgia minuciosamente y está completamente familiarizado con sus ritmos, no para actuar como un maestro de ceremonias, sino para inspirar y dirigir a la asamblea en su oración comunitaria. El presidente sirve a la asamblea en la manera en que saluda, mantiene los silencios de la celebración, escucha las escrituras y dirige las oraciones.

Hasta la reforma litúrgica, traída por el Concilio Vaticano II, el presidente realizaba la obra y tarea de muchos ministros. Desempeñaba el ministerio del diácono, del lector y, en ciertas ocasiones, realizaba otros ministerios. Ahora, sabemos cuáles tareas corresponden al presidente de la celebración y cuáles corresponden a otros ministros. El ministerio del que preside incluye algunas partes habladas: el saludo a la asamblea y la invitación a orar, esto dentro de los ritos introductorios; dirigir la plegaria eucarística; la oración después de la comunión e impartir la bendición final a la asamblea. La aclamación al Evangelio y las otras invitaciones corresponden al diácono, y la homilía debe ser predicada por el diácono.

Las palabras habladas que corresponden al presidente son pocas, pero éstas indican su importancia. Si el presidente toma otras funciones, o agrega algún comentario sobre algunos puntos, entonces la importancia de las partes que corresponden a él puede verse afectada de alguna manera. El presidir una celebración consiste en algo más que palabras habladas: la elevación de las manos durante la oración, la fracción del pan y el compartir la comunión, sólo por citar un ejemplo, son elementos vitales de la función del que preside.

Entre las cualidades que hacen que un presidente sea bueno se incluyen las siguientes:

Concientización de que él es un miembro de la asamblea. El presidente pertenece a la asamblea como pertenece cualquier otra persona: un cristiano que viene para alabar y dar gracias al Señor. Esto se hace claro en pequeñas y grandes maneras: Canta cuando la asamblea canta, escucha cuando la asamblea escucha y se mantiene en silencio junto con la asamblea; sus actitudes son las de un amigo. El presidente "no es la estrella del show", pero sí el que ayuda a enfocarnos en lo que somos y lo que verdaderamente estamos haciendo.

Gracia en el movimiento, reverencia en la gestualidad. La manera tiene mucho que ver. Lo que uno hace con las manos, los ojos y el cuerpo entero comunica la presencia y actitud. Si el presidente tiene que decir: "Que la gracia y la paz de nuestro Señor Jesucristo esté con todos ustedes", pero sus ojos no están fijos en la asamblea, sus brazos no están abiertos junto con su saludo verbal, entonces no está presidiendo. Si el presidente dice "levantemos el corazón" en lo que está dando vueltas al Misal Romano, de esa manera no se levantarán los corazones. Si lleva el pan y el vino mecánicamente a la mesa de la comunión, entonces no bastarán todas las palabras del mundo para insertarnos en el misterio que está presente en medio de la asamblea. Ningún movimiento del presidente carece de sentido o implicaciones: la manera en la que se sienta, camina, ofrece el gesto de paz, bendice, ofrece la comunión, todo esto puede influir e influye en la oración de la comunidad. La gracia en el movimiento y reverencia en la gestualidad no son dos elementos que simplemente se colocan ahí en la liturgia, sino que son reflexiones honestas de la vida de la persona, de la conciencia que cada ser humano tiene de la presencia de Dios en la obra de la creación.

Una voz que invite a orar. La gracia y reverencia también se encuentran en este elemento, en el tono y volumen de la voz; en la paz que ésta transmite y en el ritmo que pueda tener. La mayor parte hablada que corresponde al que preside, especialmente en las plegarias eucarísticas, se conforma de palabras comunes a la asamblea. El reto del que preside no es hacer que cada vez que las pronuncia suenen diferentes, sino pronunciarlas de tal manera que vayan de acuerdo con la gran ocasión de dar gracias a Dios por la creación. Es por eso que el cantar los textos puede ser algo realmente efectivo.

El sentido de paz. Es algo que algunas personas tienen y que otras tienen que trabajar arduamente por obtenerlo. En la oración el sentido de paz significa sentimiento, sensibilidad por el envolvimiento de la comunidad: sabiendo cuál es el momento exacto para iniciar y concluir cada momento del ritual.

En todo, la asamblea apoya al presidente por medio de la atención, la postura y el contacto visual; también por medio de nuestra reverencia en los gestos, y nuestras respuestas claras y convincentes.

Probablemente quien está más consciente y sensible al ministerio de la asamblea es el presidente. Quienes presiden con frecuencia señalan que cada congregación tiene su propia personalidad. Algunas congregaciones siempre responden con mucho entusiasmo, inspirando así enormemente al presidente a corresponder con el mismo ímpetu. En algunas congregaciones la asamblea es muy apática, y el que preside llega a sentirse un tanto solo en lo que es la obra de toda la Iglesia y, en consecuencia, se le hace más difícil ser un presidente motivado y motivador.

(En este artículo y el siguiente se utiliza el género masculino porque en la Iglesia Católica Romana los diáconos y los presidentes son varones. Todo lo que se ha dicho sobre este ministerio es aplicable a hombres o mujeres, ministros ordenados o laicos).

1. ¿Qué cualidades se requieren presidir una reunión familiar?

2. Piensa en el ministerio del que preside la oración de tu comunidad. ¿Cuáles son algunas de las cualidades que aprecias de él o ella?

3. Si hay algunas debilidades, ¿Qué se puede hacer para ayudarle a crecer?

Presidir es un servicio requerido por cualquier grupo que se ha reunido con un propósito común. Cuando este propósito es la oración común en la tradición de un pueblo de fe bíblica, esa reunión es liturgia. Por lo tanto, presidir es un servicio que la liturgia requiere.

El término "presidente" es correcto, aunque a pesar de ello necesita uno darle tiempo y espacio considerable para su elaboración. Es correcto porque declara clara e inequívocamente que debe ser ejercido por alguien en la asamblea litúrgica. También es un término teológico, porque depende de una reunión, de una asamblea del pueblo de Dios, de la Iglesia. Nadie nace presidente. Nadie es presidente por medio de la capacitación, talento, deseo propio o algo por el estilo, sino por vocación y delegación de la comunidad de fe.

Hay ciertas cualidades y aptitudes innatas que son básicas durante el lapso de preparación, pero los presidentes, como todos los demás ministros, son creados por la Iglesia.

Robert Hovda

El diácono

El ministerio del diácono en la Iglesia no está limitado a la liturgia. Los diáconos permanentes están envueltos en cada aspecto del trabajo y presencia de la Iglesia. Dado que la liturgia no es solamente otro campo de trabajo de la Iglesia, sino que es donde la Iglesia es ella misma, enteramente, en casa. Expresando así la vida entera, los diáconos tienen una función particular en el servicio de culto dentro de la liturgia.

El diácono es el responsable del orden del servicio. Se ve de manera clara en las invitaciones del diácono durante la liturgia para el saludo de la paz, las aclamaciones y la despedida. Esto es claro también en el lugar que el diácono tiene al lado del presidente de la asamblea. Si no hay diácono presente, el que preside hace la mayoría de estas invitaciones y los acólitos pueden hacerse cargo del seguimiento de la liturgia. El presidente y los acólitos realizan estas acciones no como parte de su propio ministerio, sino como algo estrictamente necesario en la ausencia del diácono.

Una cualidad necesaria en el diácono será el sentido y conocimiento de la dinámica del ritual, para el orden de las palabras, los movimientos y la música combinados en una fuerte oración. El diácono habla de manera simple y honesta a la asamblea; la hospitalidad del diácono toma forma en las pocas, pero cálidas palabras de invitación dirigidas directamente a la gente.

El diácono lee el Evangelio. Los diáconos necesitan tener las cualidades de un buen lector y una presencia tal que haga de la procesión con el libro de los Evangelios al ambón un anuncio físico y una aclamación de la buena nueva.

El diácono se dirige a la asamblea en las oraciones de intercesión. Las palabras del diácono son invitaciones: "Roguemos al Señor". La respuesta de la asamblea cambia la intercesión en oración: "Señor, escucha nuestra oración" o "Señor, ten piedad". Otra función del diácono es dirigir la letanía de manera fuerte y clara, pero a menudo el cantor realiza este servicio. El formular las peticiones puede ser también parte del trabajo del diácono, dado que su ministerio lo acerca más a las necesidades de la Iglesia entera, de la sociedad, de los pobres y especialmente de la comunidad local. Algún poeta de la parroquia puede asistir al diácono en la formulación de peticiones, de tal manera que inspiren en la asamblea un verdadero espíritu de oración.

Con frecuencia, el ministerio litúrgico del diácono envolverá el traer y llevar varios objetos sagrados que se utilizan dentro de la liturgia: el incensario, las vinajeras, la patena, el copón, el pan y el Evangeliario. La reverencia y un profundo sentido de paz y tranquilidad son esenciales en estos movimientos. El comportamiento total del diácono debe hacer claro que realmente existe la presencia de un libro, la fragancia del incienso, que hay pan y vino.

El diácono debe presidir la oración de la mañana y de la tarde, la sagrada comunión fuera de la Misa, las bodas, funerales y las diferentes devociones de la comunidad. Los diáconos de la comunidad demuestran que dirigir la oración pública se aprende en las pequeñas reuniones, en las oraciones del hogar y en la oración personal. En esto, así como en el ministerio entero, de esta manera ellos ponen en claro que no hay ningún tipo de oposición entre el clero y los laicos, y que todos, ordenados y laicos, estamos al servicio los unos de los otros.

Los diáconos, cuya función fue reestablecida por el Concilio Vaticano II, aún hoy no son parte de cada comunidad; no todas las comunidades cuentan con su presencia. Su ministerio aun está en desarrollo. Su función está enraizada en el servicio y su ministerio en el altar refleja este servicio. Esto es evidente en la manera en que el diácono realiza las acciones litúrgicas: nunca dominando a la asamblea, nunca siendo un obstáculo al que preside o a otros ministros.

Por el servicio en comunidad, el diácono desempeña una función importante en el desarrollo del espíritu litúrgico. El amor del diácono a la Palabra de Dios y la habilidad de enseñar a otros a orar son ejemplos de este ministerio.

1. ¿Has visto a personas que asumen la función del diácono en otras comunidades humanas? Piensa en la escuela, en las organizaciones, en los programas de recreación y arte, en los grupos cívicos y políticos. ¿Cuándo has visto que la función del diácono se realiza de una buena manera, particularmente en grupos que no pertenecen a la Iglesia? ¿Qué hace que esto trabaje bien?

2. Considerando lo anterior, ¿Existe alguna área en la que los diáconos de tu parroquia deben trabajar para mejorar sus talentos? De ser así, ¿Cómo les puedes ayudar?

3. ¿Es positivo compartir esto con los diáconos en la planeación litúrgica? ¿De qué manera?

Tuyo es el compartir
en el trabajo del Espíritu del Señor
que llama a la Iglesia entera
a la diakonía de la liturgia
de la Palabra y caridad.

Tuya es la tarea
de preparar la mesa del Señor
para la oración de la asamblea,
para la comunión
del pueblo de Dios.

Tuyo es el trabajo de proclamar el Evangelio
y predicarlo,
a tiempo y destiempo,
anunciando la palabra que desafía y conforta
a todos los que necesitan oírla.

Tuyo es el ministerio de la caridad
a los que viven en necesidad,
especialmente los amados de Cristo,
los más pobres de entre los pobres.

Tus manos guían a los nuevos bautizados
a través de la muerte y resurrección de Cristo,
en las aguas de la salvación, de la pila y la fuente.

Tú permaneces como un testigo de la Iglesia
como hombre y mujer
que juntos unen sus vidas
en Cristo,
en amor,
en fidelidad,
en matrimonio.

Austin Fleming

El homilista

En muchas celebraciones litúrgicas, y especialmente en la eucaristía, tenemos la tradición de reflexionar públicamente sobre las Escrituras que hemos escuchado. Esta homilía es usualmente la tarea del que preside y algunas veces del diácono. La preparación envuelve por lo menos "oración, el estudio de la Escritura, la familiaridad con la vida de la comunidad y la tarea de escribir un esquema para el discurso oral" (Robert Hovda, *Strong, Loving and Wise*).

Estos requisitos necesitan tiempo, dedicación y energía. Dirigen hacia una manera muy especial de hablar que está profundamente enraizada en el culto cristiano y judío. La homilía no es una simple explicación de las Escrituras, ni el fruto de las investigaciones de un buen académico. Tampoco es una conclusión moral de las Escrituras o un recurso para recaudar fondos para la escuela o para apoyar la reforma a la ley sobre el aborto. La homilía tampoco es una gran creación literaria "surgida de la nada": las Escrituras y la eucaristía son el inicio y el final. El homilista ayuda a que la asamblea aprecie el hermoso tejido que enlaza la Palabra, el sacramento y el diario vivir.

El homilista reflexiona en las Escrituras; está de pie frente a ellas. Esto requiere conocimiento de los libros, sus autores, el tiempo en que sucedieron los hechos y la manera en que estos libros han sido usados por la Iglesia. Sin embargo, todos estos elementos limpian o preparan el camino a fin de que la homilía tome forma. El homilista no es primariamente el que interpreta las Escrituras, sino alguien que es interpretado por ellas, que puede poner frente a estos textos la vida, las dificultades y la alegría y compartir así el resultado de esta combinación. Éste es un trabajo muy difícil para la mayoría de los homilistas. Pero éste es sólo el inicio, y es precisamente eso lo que debe hacer interesante el trabajo del homilista.

¿Cómo lograrlo? El primer requisito para predicar de manera interesante es no usar muchas palabras para decir cosas que son realmente simples. La calidad de una homilía no depende del tiempo que se pasa hablando. Una homilía larga puede ser interesante, la homilía corta puede resultar tediosa y aburrida. Es cuestión de qué tan explícita sea la homilía y lo preciso que sea el homilista en el uso de las palabras.

Cuando examinamos las enseñanzas de Jesús, podemos ver lo preciso que fue en cuanto al uso de las palabras, en cierta manera podemos decir que fue muy económico. Hay algunas explicaciones alegóricas al final de algunas parábolas, pero algunos especialistas han determinado que éstas no fueron las palabras originales de Jesús, sino que fueron agregadas por los evangelistas. Ellos son maestros menos efectivos que Él. En sus intentos de hacer que todo fuera perfectamente claro, multiplicaron las palabras de una manera opaca y confusa, desviando el interés de sus lectores.

Esto nos dice a nosotros que el homilista debe restringirse a sí mismo y no decir mucho. Debe saber dónde detenerse completamente, pero también dónde detenerse en frases individuales. La calidad en la manera de dirigir el mensaje es tan importante como el producto, ¡Esto también se sabe en cualquier negocio!

Nuestro Señor es genial al presentar una idea, tomemos como ejemplo la idea de compasión, veámosla desde ángulos diferentes. Jesús hacía un pequeño comentario, una alusión y luego regresaba a la idea original. Contaba la historia de un acto compasivo, y luego la dejaba ahí. La historia hacía el trabajo por Él; nunca moralizó. En diez, quince, veinte maneras empujaba a sus oyentes a reflexionar sobre lo que significa ser compasivo. Si de una cosa no se puede acusar a Jesús es de repetir una idea hasta el cansancio.

Jesús tenía una gran capacidad de apelar a la experiencia de la gente. Por ejemplo, ellos sabían mucho del trato comercial. Sabían que estaba lleno de irregularidades e intereses propios. Él no se tardó en eso, deteniéndose a deplorar esto con mayor extensión de tiempo. Solamente lo mostró en medio de ellos como un ejemplo de cómo eran las cosas, para luego moverse a situaciones más profundas. Si solamente una persona que escucha decidiera cambiar su sistema de valores, los abusos específicos en el mundo de los negocios o tratados, serían redimidos a la brevedad posible. Jesús nunca fue dolorosamente obvio en su enseñanza. En cada ocasión fue a la ética fundamental: el interés propio que hace la vida imposible para otros, a menos de que haya un cambio radical. (Gerard Sloyan, en *Liturgy,* mayo de 1974)

El ministerio del homilista se basa en ser una persona de oración dentro de su comunidad, en conocer a la gente con sus necesidades y preocupaciones. A su vez, la asamblea en turno apoya al homilista dándole su atención plena, con una reflexión seria sobre lo que se ha dicho, por un atento criticismo.

1. La función del homilista es probablemente el ministerio litúrgico más difícil. Además de la formación básica que requiere, el homilista necesita prepararse para cada homilía. Esta preparación toma una gran cantidad de tiempo, oración y sensibilidad para con la asamblea. El trabajo del homilista puede ser enriquecido por medio de los talleres sobre predicación, oración, estudio de las Escrituras y la atención a los eventos mundiales y locales para usarlos como ejemplos llenos de sentido. La asamblea puede ser un gran recurso de ayuda para el homilista si expresa sus necesidades espirituales de una manera clara y ofrece una retroalimentación positiva. Hay muchas maneras de organizar el diálogo recíproco entre la asamblea y el homilista. ¿Qué funcionaría mejor en tu comunidad?

2. ¿Qué hace que una buena homilía sea buena? ¿Qué la empobrece?

3. ¿Crearía una diferencia el hecho de omitir la homilía los domingos?

4. ¿Cómo debe trabajar el equipo de liturgia y el homilista en asuntos comunes y frecuentes?

5. Para los homilistas: En uno o dos enunciados, ¿Cuáles son los puntos centrales que quieres que la asamblea se lleve a su casa?

La homilía es la conversación de la asamblea con las lecturas bíblicas del domingo. Solamente cuando el predicador respeta tanto a las Escrituras como a la asamblea puede hablar por y para la asamblea, convocándola y uniéndola aquí y ahora por medio de las lecturas bíblicas del domingo. El buen predicador conoce las realidades de la comunidad, sus dolores y esperanzas. El buen predicador desafía y anima. Pide y escucha los comentarios de sus fieles. Los predicadores deben asistir frecuentemente a cursos y clases de Homilética y Sagrada Escritura.

Joseph Louis Bernardin

Predicación que no denuncia el pecado, no es predicación del Evangelio. Predicación que contenta al pecador para que se afiance en su situación de pecado, está traicionando el llamamiento del Evangelio. Predicación que no molesta al pecador, sino que lo adormece en el pecado es dejar a Zabulón y a Neftalí en su sombra de pecado. Predicación que despierta, predicación que ilumina, como cuando se enciende una luz y alguien está dormido, naturalmente que lo molesta, pero lo ha despertado.

Ésta es la predicación de Cristo: despertad, convertíos. Ésta es la predicación auténtica de la Iglesia. Naturalmente, hermanos, que una predicación así tiene que encontrar conflicto, tiene que perder prestigios malentendidos, tiene que molestar, tiene que ser perseguida. No puede estar bien con los poderes de las tinieblas y del pecado.

Oscar A. Romero

El ministro de la música

Muchos ministerios en la liturgia tienen demasiado que ver con la música: organistas y otros instrumentalistas, directores y miembros del coro, cantores y dirigentes del canto, miembros de pequeñas conformaciones de variedad de estilos musicales y combinación de instrumentos. Para este tiempo, la clasificación "grupo folklórico" ha pasado de nuestro vocabulario al vocabulario musical en la medida en que los músicos han integrado una amplia variedad de música en el repertorio de la Iglesia. El desarrollo de este ministerio de la música es un testigo de nuestro entendimiento de que una buena liturgia es una liturgia musical porque es la única manera en que esos ritos tan esenciales como las aclamaciones y las letanías pueden realizarse por la asamblea y, además, porque el ministerio de los instrumentalistas y coros no sólo apoya la oración de la asamblea sino que engrandece y solemniza las procesiones, momentos de reflexión y mucho más.

Así como las parroquias han crecido en su cuidado y apreciación por lo que la música puede ser en la liturgia, se han inclinado a coordinar a todos los músicos parroquiales a través del ministro de música. El título puede variar, pero la descripción de trabajo incluye los siguientes elementos: dirección del coro, entrenar y formar a los cantores y a los líderes del canto, y coordinación de la música con la planeación del comité de liturgia de la parroquia. La meta de este trabajo es la liturgia musical de una asamblea que canta.

El ministro de música también es responsable de cultivar los talentos musicales de las demás personas que contribuyen a la liturgia. Por esta razón, el ministro de música debe tener una sólida experiencia y formación musical, pero es posible que no haya tenido la oportunidad de desarrollar de manera fuerte su conocimiento y sentido de la liturgia. Esto se adquirirá gradualmente a través de la lectura, talleres de formación, cursos de verano, experiencias de música litúrgica buena en otras parroquias, así como de la enseñanza informal del comité de liturgia.

Además de esto, el ministro de la música trabaja de manera cercana con otros músicos y grupos musicales. El criterio de todo su trabajo debe ser la calidad en cualquier estilo, a fin de que sirvan mejor a la asamblea junto con su oración. El conocimiento y la imaginación del ministro servirán para integrar las habilidades de los demás músicos. Hay que añadir que el ministro de música busca siempre proveer la formación necesaria a aquellos que están envueltos en la liturgia, especialmente a los cantores, líderes del canto, organistas, miembros del coro, conjuntos musicales y el que preside la celebración, que algunas veces necesitará ser motivado para cantar o ayudar en la preparación.

Salmista. Este ministro canta los versos de los salmos y algunas veces las canciones. La asamblea canta las respuestas. El cantor necesita habilidades musicales y un buen sentido de la manera en que nosotros oramos a través de la música. La función del cantor es muy parecida a la del que preside la oración: el cantor necesita entrar en los salmos como oraciones, así como el presidente entra en la oración eucarística. Lo que hace el cantor es oración.

Líder del canto. Con frecuencia es la misma persona que desempeña la función del salmista. El líder del canto ayuda a la asamblea con sus himnos y aclamaciones. Este ministro trabaja de manera especial con los instrumentalistas principales. Desarrolla un sentido claro de cuándo la asamblea necesita dirección y apoyo y cuándo el canto de la asamblea es bueno en sí mismo.

Organista. Su papel principal es dirigir el canto de la asamblea de manera regular y segura a la vez. Entre sus funciones secundarias está el de acompañar al cantor y al coro, reforzando así el fluir de la celebración con música instrumental. Marcando el ritmo de manera sólida y mostrando claramente su autoridad musical, el organista dirige, estimula e inspira el canto, más que acompañar o seguir el mismo canto.

Coro. A través de los ensayos continuos y más talentoso que la asamblea misma, el coro enriquece y embellece el canto de la comunidad. Idealmente hay más de un coro en cada parroquia: de adultos, mezclado, niños y jóvenes. El coro no reemplaza el canto de la asamblea, sino que enriquece su canto de una manera bella y artística.

Conjuntos musicales. Realizan las mismas tareas que el coro, el organista o el líder del canto. El talento y entendimiento de la liturgia son tan importantes para los miembros de estos conjuntos, así como lo son sus acuerdos familiares. Aquí hay grandes posibilidades para líderes talentosos y creativos. Varios instrumentos pueden proveer color, por ejemplo, usando una cuerda de bajo para crear el efecto que produce un pedal de órgano. El conjunto es líder de la oración, con el constante desafío de convertir su ejecución en oración.

Muchos esfuerzos bien intencionados para mejorar el canto de la asamblea se han visto frustrados por una acústica pobre, un sistema de sonido inadecuado o instrumentos inapropiados. Un espacio con eco es mejor para amplificar la respuesta de la asamblea. Un espacio alfombrado absorbe el sonido y amortigua la acústica, además de no contribuir al canto de una congregación vibrante. Alternativas buenas y fáciles de mantener están disponibles, pueden encontrarse en una tienda apropiada. Se debe consultar un ingeniero de sonido para la adquisición de un sonido apropiado para el uso de los cantores, lectores y homilistas. Un órgano, de tubos o electrónico, debe ser diseñado a fin de que haga conjunto con el espacio disponible. Si esto no sucede, será imposible estimular el canto de la asamblea.

Lamentablemente, algunas asambleas sólo tienen un pizarrón que los guía; otras tienen un lector sin un buen sentido de la música. Pero a las asambleas que realmente cantan, se les ha enseñado a cantar; han sido motivadas a cantar con entusiasmo y una buena dirección.

1. ¿Puedes imaginarte un director de porras aburrido, o un concierto de rock pop sin amplificadores? ¿Una celebración de cumpleaños en la que Las mañanitas son tarareadas lentamente o, peor aun, recitadas?

2. ¿Qué te inspira a participar en un canto?

3. ¿La parroquia emplea a un ministro de música? Si no lo hace, ¿Por qué?

4. Menciona algunas maneras por las cuales el organista, guitarrista y el líder del canto pueden motivar a la asamblea para que cante.

5. ¿Cómo se puede encontrar a los músicos talentosos en tu parroquia e invitarlos a que participen en este ministerio?

Quienes escogen la música para la liturgia deben adquirir una disciplina por medio de su compromiso con las palabras de los salmos y otros textos de la tradición. La prueba para cualquier texto que será cantado en la liturgia es que éste debe tener la fuerza de su poesía y la fidelidad (a nuestras Escrituras, a nuestra liturgia) de su sentido. No menos.

Gabe Huck

La música ha sido un medio único de celebrar esta riqueza y diversidad de comunicar el rimo del año eclesial a la asamblea. La música realza el poder de las lecturas y de la oración para captar la calidad especial de los tiempos litúrgicos. ¿Qué sería la Navidad sin sus villancicos? ¿Cuán disminuidos estarían los cincuenta días de la Pascua de Resurrección sin el solemne y gozoso canto del Aleluya?

La Música Litúrgica Hoy, 47

El cantor es un miembro de la asamblea que sirve a la asamblea en su liturgia. El cantor debe identificarse fácilmente como alguien conectado con quienes se reúne y con la experiencia litúrgica que comparten.

Este ministerio requiere un alto grado de competencia, pero no es la misma competencia de la de un cantor que se dedica al entretenimiento público. El cantor debe ser un cantante, un proclamador, un ministro litúrgico y un líder espiritual, un cantante de cantos de victoria, un verdadero historiador y una persona de oración altamente sintonizada con el sentido del momento y el significado de las cosas y gestos.

Diana Kodner

El lector

El que preside la celebración, o el diácono, es la persona que usualmente proclama el Evangelio y en todo sentido debe ser una persona talentosa. Una persona diferente al presidente proclamará la primera lectura, primero porque esta tarea requiere de gran preparación, y segundo porque la asamblea se beneficia al escuchar diferentes voces.

El lector es el cronista de la comunidad. Como los ancianos de una tribu, el lector dice públicamente la historia que nos identifica. Tomará mucho tiempo para que los católicos nos sintamos profundamente inmersos en esta historia, para que conozcamos las Escrituras íntimamente. En este punto, el lector es un líder, porque antes de contar una historia llena de sentido, debe sumergirse en ella, aprender acerca de ella, conocer las circunstancias y la época en que tuvo lugar. El lector sabe esto no como historia bíblica, sino como historia que da sentido a nuestra vida, la historia que dice mucho más a nosotros de lo que podamos decir sobre ella.

Generalmente, la asamblea sabe de inmediato si el lector ha tomado tiempo para preparar la lectura que proclamará ante la asamblea, pero al mismo tiempo parece que la asamblea es capaz de sentir algo más importante: si la persona que proclama se ha sumergido en las Escrituras, si las ama, si ora con ellas.

Como el presidente, el lector debe estar plenamente consciente que lo primero de este ministerio es ser parte de la asamblea. Como el presidente, el lector necesita gracia en sus movimientos (al llevar el Leccionario en la procesión, en el ir y venir al ambón, incluso, en el permanecer en silencio después de finalizar la lectura).

Los dones y talentos especiales del lector deben imbuir a cada miembro de la asamblea en las Escrituras. La preparación directa para esto es a través de la familiaridad con las Escrituras. El lector, con muchos días de anticipación a la liturgia, empieza a familiarizarse con las Escrituras, a practicar su lenguaje y pronunciación y repetidamente deja que su lenguaje recorra su mente y sus labios. Así, el lector desarrolla un afecto por la lectura y deja que ésta penetre en su vida diaria. Un verso pasa por la mente, va y viene con aliento. Hasta cierto punto, es importante leer las lecturas que anteceden y proceden al texto que se va a proclamar, para tener el contexto y conocer el ambiente y clima en que se desarrolló. Con muchas prácticas de la lectura durante la semana, el lector se siente cada vez más libre respecto a la página impresa; el sentido de cómo será leída esta página (dónde hacer énfasis, dónde hacer pausas, dónde aumentar o disminuir la intensidad de la voz, dónde aumentar o disminuir la rapidez de la lectura) se desarrolla de manera natural, de tal manera que tiene la habilidad de proclamar la lectura mirando pocas veces la palabra impresa. Así la palabra y el estilo de proclamación del lector se pueden dirigir enteramente a la asamblea. Los lectores nunca deben tener la preocupación de que "están haciendo demasiado", es poco probable que esto ocurra.

Esta preparación subraya también el tono de la lectura, la manera en que la lectura es parte de una gran historia. Una narración del libro de los Reyes tiene un sabor propio, un texto tomado del Deuteronomio tiene otro sabor, una expresión de enojo y molestia del profeta Jeremías, ¡También tiene otro sabor. No leemos las novelas de Shakespeare o Gabriel García Márquez, la declaración de independencia de nuestro país o los discursos de Monseñor Oscar Arnulfo Romero de la misma manera. Esto no significa que alguno de ellos no tiene valor alguno en comparación con los otros. Todos ellos son interesantes, pero en diferente manera.

En la liturgia, el lector también necesita un sentido de paz: esperar hasta que la gente se haya acomodado y esté lista, después hay que estar seguro de capturar su atención con las primeras palabras, con sus sonidos y contenido. La paz dentro de la proclamación de la lectura es cuestión de expresión e interpretación. Después de una pausa final, "Palabra de Dios" es pronunciada de tal manera que motiva a una respuesta llena de fe por parte de la asamblea: "Te alabamos Señor".

1. En algunas ocasiones se pueden tener dificultades, incluso con los mejores lectores, tales como falta de luz, el sistema de sonido o la calidad del texto impreso. ¿Cómo saber si estos elementos son un problema en tu iglesia?

2. ¿Cuál es el programa de formación de los lectores de tu parroquia? ¿Qué opinión tienes del programa?

3. ¿Cuáles son los recursos que tiene tu parroquia para que los lectores refuercen su ministerio y entiendan las Escrituras?

4. ¿Qué tipo de evaluación se tiene para los lectores? ¿Quién y cómo la realiza?

Cuando respondes a la llamada para ser ministro de la Palabra (quien proclama las lecturas bíblicas a la comunidad de fe reunida), entras en una relación más profunda con la Palabra de Dios, que está revelada en la Sagrada Escritura.

Tomas sobre ti la obligación y el privilegio de traer impreso el pan de vida, encarnándolo para luego transmitirlo. Tu ministerio de lector da voz a la Palabra fuerte y sanadora de Dios, en lo que ésta va de manera irrevocable hasta los últimos confines de la tierra, logrando el propósito por el que Dios la ha enviado. En un sentido muy real, te conviertes en profeta, alguien que habla por parte de Dios. Te conviertes en otro Juan Bautista preparando el camino del Señor, enderezando los caminos torcidos y aplanando las montañas en valles. Tomas sobre ti la tarea y el privilegio de profundizar más aun en el misterio de la presencia de Dios en el mundo por medio de su Palabra revelada.

Acompañas tú mismo una antigua tradición en la vida judía que no ve otra ocupación más digna que el estudio y servicio de Dios, como se experimenta en los textos sagrados. Como cristiano, te identificarás tú mismo con la antigua esperanza de que las palabras encuentran su plena expresión en una palabra perfecta, palabra hecha carne: Jesús.

Aelred Rosser

Los monaguillos

Cuando un grupo indeterminado se reúne a celebrar la liturgia, alguien toma la responsabilidad de liberar al que preside la celebración de varios detalles, de tal manera que esté totalmente concentrado en su ministerio de presidir. Estas tareas incluyen ayudar con el libro de las oraciones cuando el que preside necesita leerlas del libro; la preparación de la mesa del altar con el pan y el vino; colaborar en la distribución de la comunión bajo ambas especies: pan y vino; colocando los vasos sagrados en la credencia después de la comunión y asegurarse que después de la Misa estos mismos vasos estén completamente limpios; llevar los ciriales en la procesión, el incienso y la cruz alta.

Generalmente estas tareas son realizadas por dos diferentes grupos de ministros: los monaguillos (a menudo adolescentes) y los ministros de comunión. En el presente artículo hablaremos de los monaguillos y, en el siguiente, sobre los ministros de la comunión.

A menudo identificamos a los monaguillos con niños que memorizan sus movimientos y palabras y que su presencia añade solemnidad a la procesión de entrada y despedida, pero hay que decir que la ayuda que necesita el que preside, y con él la asamblea, no es de carácter mecánico o de adorno para la Iglesia. Como comunidad de fe, necesitamos monaguillos que conozcan el orden de la liturgia, que puedan anticipar cada momento y necesidad y que puedan responder a ellos con gracia y reverencia.

Esto no es una descripción para alguien que no capta plenamente el sentido de la liturgia o que no percibe su movimiento, o para alguien que está limitado a responder a lo que se le pide. Si trabajamos con niños en este ministerio, es nuestra responsabilidad trabajar con ellos hasta que tengan una familiaridad total con el orden de servicio y hayan adquirido el sentido de cómo y cuándo moverse, traer las cosas con tranquilidad y en silencio. Una de las ventajas de tener niños en este ministerio es el mero hecho de envolverlos en la liturgia, pero debemos pensar profundamente acerca de esto en relación a nuestro acercamiento a la liturgia. El ministerio del monaguillo satisface mejor las necesidades de la asamblea cuando son adolescentes o adultos.

Tenemos monaguillos en el servicio porque tenemos necesidad de ellos. Cuando le pedimos a algunos de los miembros de la comunidad sus servicios como monaguillos, necesitamos hacer claro lo que envuelve el ministerio y ofrecer las herramientas necesarias para desarrollarlo a través de talleres de formación y capacitación adecuada. La formación debe incluir no solamente un modelo cuidadoso de lo que se espera que ellos o ellas hagan en la liturgia, sino también se espera aprender la manera en que realizarán este servicio. Más allá de estos movimientos mecánicos, los acólitos necesitan tener un buen sentido de la liturgia en general; de esta manera, pueden prepararse para lo inesperado. Los mejores acólitos o monaguillos son sensitivos especialmente a *la manera* en que pueden influir en el ambiente de oración a través de su presencia en el espacio donde se celebra la liturgia.

En la mayoría de los casos, se necesita solamente un monaguillo durante la liturgia misma: para sostener el libro que el presidente utilizará durante la celebración, y para traer el pan y el vino a la mesa. Las procesiones iniciales, antes de la proclamación del Evangelio y la procesión final, deben incluir acólitos adicionales que lleven los ciriales, el incienso y la cruz alta. El lugar para que los monaguillos se sienten debe ser a un lado del que preside, no detrás de él.

Dado que los monaguillos están al cuidado de los libros y otros artículos que se usan en la liturgia, necesitan estar conscientes de la manera en que deben tratarlos. Lo que estos artículos hacen posible es central en la liturgia: la lectura del libro, el comer el pan y beber de la copa, la llama de las velas y el humo del incienso. En su hechura y uso, estas cosas son dignas de reverencia. Obviamente, una parroquia que está al tanto del cuidado y la calidad de estas cosas, usando velas de cera de abeja hechas a mano, libros presentables y vasos sagrados hermosos, naturalmente pedirá a los monaguillos que realicen sus tareas y que lleven consigo estos objetos con la reverencia necesaria.

Los acólitos, cualquiera que sea su edad, canten, escuchen y mantengan el silencio de manera atenta, modelando así la actividad de la asamblea. Cuando aquellos que tienen una responsabilidad específica ponen atención a ella, esto inspira a todos los presentes a tomar su oración seriamente y a hacerla de todo corazón.

La cuestión del vestido de los monaguillos surge con frecuencia, igualmente para los lectores y los ministros de la comunión. La respuesta no está basada en rango, o en alguna manera de incorporar más gente al clero. Los acólitos, así como los lectores, ministros de la comunión y los demás ministros, antes que nada son miembros de la asamblea. Más que eso, la cuestión de su vestido es un asunto de sentido común, de lo que realmente ayudará a la oración de la asamblea. Los ornamentos del que preside, así como del diácono y algunas veces de otros ministros, son apropiados cuando ayudan o conducen la oración de la asamblea. Simplicidad y belleza deben caracterizar los ornamentos, así como a todos los demás objetos que se usan en la liturgia. En general, de acuerdo con nuestra tradición, la vestidura que corresponde a todos los ministros es el alba, un manto blanco que cubre todo el cuerpo. "Cuanto más cumplan estas vestiduras con su función, ayudadas por su color, diseño y forma de corte, tanto menos necesitarán de signos, motes y símbolos que se les han venido añadiendo a través de tiempos poco propicios para ellas". (*La Ambientación y el Arte en el Culto Católico*, 94)

1. Respeto es la actitud que la asamblea espera de los que tocan cosas hermosas o que colaboran dentro de los movimientos. La palabra respeto viene del latín: "ver de nuevo, ver hacia atrás". La definición indica un proceso de aprendizaje y recuerdo a la vez. Es un llamado al cuidado respetuoso. ¿Qué es lo que respetamos de los libros, los vasos sagrados, el agua, el incienso, etc.?

2. ¿Qué se espera de los acólitos de tu parroquia?

3. ¿Cómo es el proceso de formación de los acólitos? ¿Cómo encontrar acólitos que cumplan estas tareas y que tengan un sentido de lo que es su ministerio?

4. ¿Filman a los acólitos para ayudarles a que se vean a sí mismos en acción?

Cualquiera que sea la vocación o ministerio, ordenado o no ordenado, todos y cada uno son una expresión de la triple misión de cada cristiano bautizado. Lo que la Iglesia es—un cuerpo de testimonio, de culto y servicio, participante en el triple oficio de Cristo que es Profeta, Sacerdote y Rey—es lo que cada uno de nosotros está llamado a ser. Esto lo hacemos de acuerdo a los dones y los carismas que hemos recibido desde el bautismo. Estos varían. Pero sea lo que hagamos, lo hacemos en el nombre del Señor en el poder del Espíritu para la construcción del cuerpo de Cristo y la transformación del mundo entero.

Roger M. Mahony

❖

El ministerio eclesial laical no describe una clase de servicio o trabajo, sino que se refiere a los ministerios de personas comprometidas, mujeres y hombres, casados y solteros, que lo están ejerciendo de manera pública, estable, reconocida y autorizada. Éste es el ministerio de la Iglesia en su sentido estricto y formal. Surge del llamado personal, requiere una formación apropiada y es emprendido con el apoyo y la autoridad competente de la Iglesia.

Roger M. Mahony

Los ministros de la comunión

Los ministros de la comunión ayudan a toda la comunidad. En primer lugar, hacen posible que el rito de comunión transcurra en un tiempo adecuado, de tal forma que el tiempo de la comunión no esté desproporcionado con el resto de la liturgia.

No es cuestión de eficiencia, pero sí de reconocer que este sentido no puede estar separado de nuestra experiencia en este ritual. Cuando "el ir a comulgar" toma mucho tiempo, no se experimenta adecuadamente el comer y beber juntos, es entonces cuando el rito de la comunión pierde el enlace con la oración eucarística y la fracción del pan. Por lo tanto, el número de ministros que se necesitan se determina por el número de comulgantes que asisten a Misa.

Estos ministros vienen de la asamblea hacia el altar en un momento en que este movimiento no cause distracción o compita con la fracción del pan o la oración del Padre Nuestro por ganar la atención. Pueden venir hacia el frente después del gran Amén de la plegaria eucarística y estar presentes en la mesa para el rito de comunión. De manera alternativa, pueden venir hacia el frente cuando la asamblea está compartiendo el saludo de la paz, saludando a la gente que les sea posible en lo que llegan al altar, buscando no distraer la atención de la asamblea de lo esencial. Una vez que están alrededor de la mesa, acompañan el canto del "Cordero de Dios", letanía que toma el tiempo en que se fracciona el pan y se preparan las copas.

Luego de que el presidente ha invitado a todos a participar en la comunión, con las palabras: "¡Dichosos los invitados a la cena del Señor!", los ministros se desplazan a sus respectivos lugares para compartir el pan y el vino con el resto de la asamblea. Será algo insensato el tomar mucho tiempo para la comunión de los mismos ministros; esto aparecería como dos ritos de comunión. Si esto sucede en la parroquia, entonces los ministros deberán tomar la comunión inmediatamente después que toda la asamblea. Después de la comunión, no regresan a la mesa, sino que toman los vasos sagrados y los llevan a la credencia. Después de la liturgia, regresarán a la credencia para limpiar cuidadosamente los vasos y guardarlos en el lugar asignado. La preparación del pan, del vino y de los vasos sagrados antes de la Misa y la limpieza del lugar después de la Misa, son responsabilidad del sacristán, o puede ser responsabilidad de los ministros de comunión.

Los que han sido llamados a este ministerio tienen o deben adquirir en un tiempo razonable la gracia y el sentido del movimiento dentro de la liturgia que caracteriza a todos los que sirven a la asamblea. La reverencia en el tocar tiene importancia especial para los ministros de comunión, dado que su trabajo entero envuelve el tomar y compartir a los demás de los vasos sagrados, del pan y del vino. Su reverencia por lo que llevan puede verse y sentirse por toda la asamblea: no se requiere una falsa humildad, sino alegría y cuidado en el compartir el cuerpo y la sangre del Señor. Esto se puede ver en la manera en que toman y llevan el plato o la copa, en su postura, de igual manera, en cómo regresan el plato y la copa a la credencia. Esto puede verse como un asunto muy llano, como el simple uso de ambas manos para llevar el plato y la copa, pero es muy importante y revelador en sí mismo.

La mayoría de los ministros de comunión son reverentes en la práctica de dar el pan y el vino a los demás. A través de sus ojos, y de la gentileza con la que comparten el pan y el vino, los ministros de la comunión nos comunican que es un evento de especial importancia. El ministro puede hacer que nos sintamos bien de estar presentes en este evento tan importante y nos recuerda nuestra comunión con el Señor y con nuestros hermanos y hermanas.

El momento de la comunión requiere ser tomado por los ministros de la comunión y por los comulgantes. . . . En este momento la atención debe ser total e individual. Los ojos de los ministros deben encontrarse con los del comulgante. El ministro dice la fórmula a la persona, no al aire. Al momento de colocar el pan en la mano del comulgante, el ministro tocará también su mano. Lo mismo puede decirse del ministro del vino. El contacto visual, la comunicación verbal directa, el toque humano, todos son signos de comunión con el Señor. Esto significa que no hay ninguna prisa. Una persona puede administrar la comunión con reverencia, dignidad, atención personal y aun así, mantener el movimiento relajado de la procesión. Pero esto no puede hacerse de prisa, o pensando en otra cosa, o con una búsqueda frenética por lograr el acceso a las líneas de la procesión. (Mary Collins, *It Is Your Own Mystery: A Guide to the Communion Rite*, Washington: Liturgical Conference, 1977.)

Algunas parroquias logran que reverencia, dignidad y atención, asignando cuatro ministros para cada estación: uno sostiene la patena con el pan; otro se enfoca en la toma y distribución del pan a los comulgantes; los otros dos ministros se colocan a una distancia considerable, cada uno con una copa con vino. Algunas veces un ministro adicional va de estación en estación llenando nuevamente las copas de vino.

Aquellos que realizan este ministerio, por encima de todo, deben saber estar presentes con sus hermanos y hermanas en el momento en que distribuyen la comunión. Los ministros de la comunión no son máquinas dispensadoras de productos comerciales, sino hermanos y hermanas por el cuerpo y la sangre de Cristo que están compartiendo. Pues no sólo proclaman su fe diciendo: "El cuerpo de Cristo", sino que también hacen un llamado a la fe del o la comulgante.

1. "Contacto visual, la comunicación directa, el toque humano" son parte de la experiencia del compartir. En todos los momentos de tu vida que has compartido con alguien más, ¿En cuál de ellos descubres estos elementos? Piensa en los regresos a casa, despedidas, reconciliaciones, tiempos de tragedia y otros momentos muy especiales de tu vida.

2. ¿Percibes alguna diferencia al recibir la comunión de manos de un ministro o de otro? Describe la diferencia entre los dos.

3. ¿Cuáles son tus criterios para seleccionar a los ministros de la comunión?

4. Filma en un video el rito de la comunión con los ministros de la eucaristía en acción. Ve el video con alguien que tiene experiencia en la materia. ¿Qué es lo que esa persona ve?

Hemos cambiado, de hecho estamos cambiando. Nos convertimos en el cuerpo de Cristo, pan dado a un mundo harto de materialismo y que aun muere de hambre. Nos convertimos en levadura para el mundo, en agentes de cambio que ayudan a edificar el Reino de Dios, de manera fragante, al igual que un pan se hornea en medio del fuego. Nos convertimos en la sangre de Cristo, vino derramado en sacrificio y celebración, derramada por amor a un mundo que se ahoga en división y aun muere de sed, sed de unión y comunión. Nos convertimos en levadura para el panadero, la palabra clave que nos lleva de lo extraordinario a lo ordinario, la cosquilla que transforma a la persona seria en una persona sonriente y comunicativa, en el olor agradable como el de una buena comida que ha sido preparada.

Tal transformación, tal transubstanciación, del pan y el vino, tuya, mía, nuestra, de la Iglesia, tal cambio es posible porque Cristo así lo dispuso: "Esto, y ustedes, es mi cuerpo. Esto, y ustedes, es mi sangre. Hagan esto en conmemoración mía".

David Philippart

Los ujieres

El ujier realiza algo que todos y cada uno de nosotros hacemos: dar la bienvenida y ofrecer hospitalidad. Representan la manera en que la comunidad se asegura de que estas cosas sucedan, asegurándose también de que el primer rostro que cada persona ve al llegar a la iglesia es un rostro sonriente; de igual manera se asegura, de que las personas se sienten juntas y de que los que llegan por primera vez se sientan en casa. Estas son responsabilidades de cada persona que forma parte de la asamblea, pero los ujieres son las personas asignadas específicamente para desempeñar esta responsabilidad y servicio.

Parte del ministerio del ujier es saludar a la gente de manera cálida, presentar a la comunidad a las personas que llegan por primera vez, ayudar a que la gente se siente junta, distribuir himnarios u hojas de cantos y estar al tanto de las necesidades de la asamblea (si alguien se enferma en ese momento u otro tipo de emergencias), recoger la colecta, ayudar a mantener el orden durante la procesión de la comunión y distribuir los boletines a las personas en lo que se despiden de ellas o los invitan a que pasen a la cafetería del salón parroquial.

De alguna manera, este ministerio puede separar algunas veces a los ujieres del resto de la asamblea. En una comunidad grande donde un grupo grande de personas llegan al mismo tiempo a la iglesia, los ujieres pueden sentir que no hay tiempo para dar la bienvenida a cada persona que llega; en este caso, el acomodo de las personas será más característico de un grupo que llega al teatro o al estadio a ver algún partido, que de un grupo que llega a una comunidad cristiana. Los ujieres podrán tener alguna vez la impresión de que tienen mucho que hacer para estar dispuestos a cantar, orar o a mantener el silencio con la asamblea.

Si esto es un reflejo de lo que sucede en tu parroquia, es posible que haya muy pocos ujieres para responder a las necesidades de la asamblea. En algunos casos, es posible que los ujieres no hayan mantenido el ministerio abierto a la participación de otras personas. En otros casos, algunos ujieres optarán por continuar realizando otras partes del ministerio, tales como recoger la colecta y distribuir los boletines, en lo que otras personas se añaden al equipo para reforzar el ministerio de hospitalidad.

Si se toma la decisión de añadir más personas al equipo de ujieres, la pregunta a reflexionar es la siguiente: ¿Cuáles personas son más capaces para realizar esta tarea? Dos aspectos son fundamentales.

Primero, la persona que es buen ujier tiene un sentido claro de la oración litúrgica. Si la persona está profundamente consciente de que este tipo de oración no consiste en un grupo de espectadores y un sacerdote que dice Misa, tiene una de las cualidades necesarias para ser un buen ujier. De igual manera, una persona que no le agrada ver que la gente no se siente bienvenida o que está regada por todo el templo. Del mismo modo, esa persona no desea otra cosa que entrar en la oración de la asamblea durante la liturgia misma.

Segundo, la persona llamada a ser un buen ujier tiene el don de la hospitalidad. Como la habilidad para leer fuerte, o el talento necesario para dirigir el canto de la asamblea, esto inicia con algo fundamental sobre lo cual se construye lo demás. La persona que está llamada a ser un buen ujier se siente cómoda dando la bienvenida a los conocidos y los desconocidos. Si el ofrecer un saludo a un grupo numeroso de personas es algo difícil, o si la persona tiene dificultad en recordar los nombres, posiblemente esta persona pertenece a otro ministerio. Todas las parroquias cuentan con el número suficiente de personas para formar un grupo de ujieres que ofrezca calidez y bienvenida, asegúrate de ver entre la asamblea personas con el potencial de ser buenos ujieres, hombres o mujeres, adultos o jóvenes, adolescentes o ancianos.

Todo lo demás que se necesita para ser un buen ujier puede aprenderse con facilidad por las personas que tienen un sentido claro de la oración de la asamblea y un sentido de la hospitalidad. Estas personas serán las mejores para recoger la colecta, ayudar a aquellos que no se sienten bien, distribuir los boletines y atender a las necesidades del día, tales como la procesión inicial y la procesión para la comunión.

1. Es posible que las personas que son muy activas en la parroquia no pongan mucha atención a los ujieres, porque ellos ya se sienten parte de la comunidad. Puede ser que estas personas no experimenten la necesidad de sentirse en casa. Pero la mayoría de la congregación no se siente en casa de una manera tan rápida. Tal vez estas personas deberían visitar otra parroquia en la que no sean tan conocidas, o prácticamente desconocidas, y entonces verán si se sienten bienvenidas. Es necesario ponerse en los zapatos de las personas tímidas, de las personas nuevas en la comunidad, de los fieles que no acuden con frecuencia a la iglesia, y captar así sus necesidades o lo que esperan al llegar a la iglesia.

2. Dialoga con los ujieres acerca de la diferencia que experimentas cuando vas a un restaurante por primera vez y una persona te conduce a un lugar que han preparado para ti y cuando el anfitrión te reconoce como un cliente regular.

3. ¿Has estado en una reunión donde solamente conoces a la persona que te invitó? ¿Sientes algún alivio cuando una persona te saluda y se presenta contigo? ¿Qué significa esto para el ministerio del ujier?

4. ¿De qué manera tus expectativas respecto a los ujieres concuerdan con la percepción que ellos o ellas tienen de su ministerio? ¿Cuál es la opinión de sus responsabilidades a la luz de la *Constitución sobre la Sagrada Liturgia*?

5. ¿Cuáles son los criterios para elegir ujieres en tu parroquia?

6. ¿El ofrecer un taller de reflexión para ujieres es parte del día de los ministerios parroquiales?

Tuyo es el primer rostro de Cristo
que saluda al Pueblo de Dios
cuando se reúne en oración.
Tu saludo de bienvenida
es el primer deseo de que
¡El Señor esté con ustedes!

Tuya es la palabra
que da la bienvenida al extranjero
para que se sienta en casa,
o el silencio
que hace de nuestra asamblea
una tierra extranjera.

Tuya es la tarea de discreción,
sabiendo cómo dar la bienvenida,
y cuándo y dónde sentar
a quien llega un poco tarde.

Tuya debe ser la última palabra
que la comunidad se llevará consigo
para esta semana de trabajo
en la viña del Señor.

Tuyo es el rostro y la voz del Señor
para aquellos que llegan y parten
del lugar santo de oración.

Austin Fleming

Los escritores

Los escritores son los que realizan los comentarios iniciales y algunas veces los anuncios. Los escritores tienen también la responsabilidad de crear o elegir los textos para muchos otros elementos en la liturgia. Estos incluyen:

El rito penitencial. El sacramentario ofrece tres formas para este rito. Sugiere las diferentes formas en las que el rito puede realizarse y ofrece algunos ejemplos de las palabras que pueden usarse. Dependiendo del tiempo litúrgico del año, los organizadores dan un mayor o menor énfasis al rito penitencial. Los textos deben ser seleccionados de entre los que ofrece el sacramentario, o de los nuevos textos que se han compuesto. Es importante que quienes realizan este trabajo sepan que el rito penitencial no es un exámen de conciencia, ni un acto de contrición, sino una alabanza a Dios por su gran misericordia y amor por nosotros. Se debe preparar de acuerdo al ambiente del tiempo litúrgico que la Iglesia celebre, pero hay que decir que esto no es una "minihomilía". La mayoría de las veces toma la forma de una letanía y ésta misma necesita realizar su función litúrgica en pocas palabras.

Introducciones a las lecturas. Deben utilizarse sólo en caso de que sirvan para preparar el camino: para contextualizar la lectura de alguna manera y identificar su carácter o género literario. Incluso, esto no debe ser mera información, sino una invitación a envolverse en la lectura. Las introducciones difícilmente son necesarias, nunca deben resumir la lectura y funcionan mejor cuando ofrecen preguntas que despiertan el interés de la asamblea en la lectura que van a escuchar.

Las intercesiones generales (peticiones, oración universal, o la oración de los fieles). Esta oración es una letanía. Las letanías "funcionan" por la continua repetición del estribillo y el ritmo del que dirige la oración entre cada respuesta. Las letanías ordinariamente se cantan. La respuesta de la asamblea será cada vez más fuerte si no se cambia cada semana; posiblemente puede variar con el tiempo litúrgico. La respuesta será más fuerte si las palabras que nos dirigen a ella tienen una forma que le transmite a la asamblea la necesidad de permanecer atenta. Los escritores pueden construir una colección de intercesiones generales que realmente son hermosas y que pertenecen a varias tradiciones, especialmente a la liturgia bizantina, y repetirlas libremente con la asamblea. El lenguaje es importante, el flujo de las palabras, la belleza de las expresiones, ¡Sin mencionar una gramática correcta! El contenido es importante: ni tan genérico que el empuje del Evangelio en nuestras vidas sea oscurecido, ni tan particular que perdamos de vista las necesidades universales. Funciona, bien a menudo, el hecho de seleccionar algunas peticiones de aquellas que han servido por muchos siglos, y escribir dos o tres más que hablen de las necesidades inmediatas y que reflejen las necesidades presentes. El lenguaje de la Escritura, en particular de las lecturas del tiempo litúrgico correspondiente, puede ser un recurso en palabras y frases que ayuden a formar estas plegarias. Las intercesiones generales deberían dar siempre un sentido del apoyo que las Iglesias se dan unas a otras alrededor del mundo en una constante oración, y un sentido especial de la responsabilidad que tenemos de orar por los gobernantes y los que tienen el poder público, también por los pobres y por cualquier necesidad que exista en la comunidad, y finalmente, orar por la asamblea presente como una comunidad específica con necesidades particulares.

Invitaciones. Los escritores pueden ayudar al que preside y al diácono sugiriendo maneras de invitar a la asamblea: la invitación del diácono a la asamblea de proclamar la aclamación memorial y a compartir el saludo de la paz, la invitación general del que preside a que todos vengan en santa comunión y las palabras de despedida que el diácono pronuncia al final de la liturgia. Como invitaciones, éstas no deben ser leídas, siendo así que la tarea del escritor es ofrecer formas breves que permitan a los ministros hacer de estas invitaciones algo personal y directo.

Otros textos. Los escritores se darán cuenta del provecho que tiene el hecho de familiarizarse plenamente con el sacramentario, de esa manera, pueden sugerir diferentes posibilidades de textos para el prefacio y la bendición final. Además, hay trece textos para la plegaria eucarística en el rito romano. Cualquier persona envuelta en la toma de decisiones debe estar profundamente familiarizada con esta oración central y con las diferentes razones para usar diferentes oraciones en situaciones diferentes.

Son raros los buenos escritores. El cuidado y atención con las palabras, en su fuerza y belleza, y la paciencia necesaria en el proceso de composición, son cualidades esenciales para un escritor. La sensibilidad guía al escritor a utilizar un lenguaje inclusivo en toda ocasión. Esto no debe sonar como algo torpe, despistado o fuera de lugar. Esta situación se presenta cuando el lector agrega "y ella" a cada "él" o "de ella" a cada "de él" durante el transcurso de la lectura. Muchos textos que suenen exclusivos necesitan ser reorganizados completamente más que hacerle simples ajustes. Los textos que se han compuesto de manera local pueden ser inclusivos sin estar conscientes de esto.

1. En tu parroquia, ¿Cuál es el proceso que se sigue para escoger textos compuestos para las intercesiones generales? ¿Cuántas personas están envueltas? ¿Están al tanto de lo que acontece a su alrededor?

2. ¿El que preside y los organizadores trabajan juntos para escoger los textos de las liturgias e informar a otros ministros de sus preferencias?

3. ¿Qué esfuerzos se hacen para reclutar poetas y personas con la habilidad de escribir bien para lograr así una colección de oraciones y palabras que sean hermosas y a la vez reales?

Nadie debe ver un final a la necesidad fundamental de las rúbricas o las direcciones ceremoniales, así como nadie debe ser tan arrogante como para crear su propia liturgia. Pero debemos dar la bienvenida a la libertad y flexibilidad construida en la reforma litúrgica, de tal manera que la celebración en la comunidad cristiana sea realmente algo vivo y real, el signo de una fe y oración genuina.

Frederick R. McManus

Escribir no es un oficio, es una actitud ante la vida . . . es entrar en sintonía con la creación y su creador, con lo material y lo inmaterial, con lo humano y lo divino, con lo lógico e ilógico de la vida y la creación. Es entablar un diálogo con una verdad que en ocasiones escapa a nuestros sentidos y sólo podemos captarla por meras figuras literarias o impresiones que no siempre pueden ser descritas por las palabras.

Escribir es una forma de ser . . . es la recreación del misterio de la verdad, o lo que creemos que es la verdad, que habita en cada ser humano, en la creación, en la belleza de las criaturas y en lo ordinario de la vida. Por ello, el escritor está comprometido con sus canales de inspiración y sensibilidad, con una verdad que no es suya, sino de su creador, que también es palabra encarnada en una verdad eterna: Jesucristo.

Escribir es responder a una vocación dada por quien escribió el misterio que en ocasiones intentamos descifrar, ya sea con versos, poesía, teología, filosofía y misterio. De cualquier manera, la palabra escrita no es nuestra, porque una vez que se escribe ha dejado de tener pertenencia a un individuo y vuelve a la palabra eterna, a su creación o a sus criaturas . . . a su origen e inspiración última.

Miguel Arias

Los sacristanes y artistas

El trabajo y presencia de estos ministros reside, aparentemente, en el cuarto de la sacristía y en las cosas que vemos y tocamos dentro de la liturgia. Son aquellos que limpian y arreglan, así como quienes confeccionan las vestiduras y demás adornos; vienen de la asamblea para responder a una necesidad específica: acondicionar el lugar de tal manera que ayude a la gente a orar junta. Los dos grupos necesitan estar unidos en su trabajo y pensamiento. Ambos necesitan una visión clara de la meta general: un ambiente que sea hospitalario, acogedor, limpio, humano; un ambiente hermoso que se proyecta más allá de sí mismo y busca fomentar nuestra oración; un ambiente honesto; un trabajo cuya finalidad es el cuidado de la asamblea.

Estos ministros deben tener un sentido claro de los objetos comunes que usamos en nuestra oración comunitaria. No somos una Iglesia que usa "objetos de culto" a fin de poder rezar. Nuestras oraciones no dependen de la fabricación de algo que no necesitamos en el transcurso de nuestra vida ordinaria. Nos sentamos en bancas y sillas; colocamos una buena barra de pan en el plato; ponemos vino en la copa; el plato y la copa reposan en una mesa cubierta con un mantel hermoso; escuchamos las Escrituras que se leen de un libro hermoso y muy presentable; sumergimos a los nuevos miembros de la comunidad en agua ordinaria; ayudamos a centrar nuestra oración y atención encendiendo veladoras, y nos cubrimos con las vestiduras y los adornos. Todo esto: bancas, sillas, vino, mesa y mantel, libro, agua, velas y adornos son cosas de nuestra vida ordinaria. Nos sentamos, comemos pan y tomamos vino, leemos, nos bañamos y vestimos en el curso de nuestra vida ordinaria. No tendremos éxito en nuestra oración si intentamos separar el pan de la Misa del pan de nuestra mesa ordinaria. Al contrario, tendremos éxito realizando estas cosas con fuerza, simplicidad y belleza. Esto no resta valor a la Misa de ninguna manera, pero sí proclama que nuestra fe se ha unido para siempre con las cosas diarias de la vida, con la encarnación de las mismas.

Los que seleccionan las bancas, vasos, vestiduras y todo lo demás deben buscar artesanos que conozcan la madera, la arcilla y el cristal, y que los fabriquen con cuidado y dignidad. Rara vez o nunca, buscan a quienes producen estos artículos por mayoría. Los artistas de la Iglesia local pueden estar disponibles para proveer algunos de los objetos que se usarán en el espacio de culto y en la liturgia, pero generalmente a la parroquia le corresponde buscar y contratar artesanos competentes y artistas para realizar creaciones en textiles, arcilla, vidrio y metal.

Igual que los músicos, quienes no solamente deben estar preparados en música, sino que deben tener un sentido vital de la liturgia; el artista debe saber no solamente lo que es hermoso, sino tambien lo que es capaz de satisfacer las necesidades particulares de la oración de sus comunidades. Una aplicación directa de esto se manifiesta en el cuidado que estos ministros tienen por el tiempo litúrgico del año. Buscan la manera en que la Cuaresma, por ejemplo, pueda estar presente y ser vista en el espacio de culto. ¿Cuáles son sus colores, texturas, formas y objetos? Las respuestas dependen de una exploración de las Escrituras, himnos y devociones propias del tiempo litúrgico que se vive, de cómo es la vida de las personas durante las semanas que forman el tiempo litúrgico, respecto a la manera en que la parroquia ha organizado la Cuaresma en el pasado y de una apreciación más correcta de aquellos de entre nosotros que se iniciarán en la Iglesia. Más aun, las respuestas dependen de la sensibilidad a las impresiones hechas durante las semanas del tiempo litúrgico, y de las evaluaciones y decisiones sobre lo que se hace común al tiempo litúrgico, de tal manera que con el paso del tiempo nos sintamos cada vez más y más en casa.

Ambos artistas y sacristanes necesitan tener un sentido completo del campo, no solamente del santuario, como elemento importante para el culto.

> La decoración adecuada no necesita estar limitada al área del altar y no debe estarlo, ya que la unidad del recinto para la celebración y la participación activa de toda la asamblea son principios fundamentales. El aspecto negativo de esta atención a todo el recinto, pide que se haga una limpieza completa para remover todo aquello que sea superfluo y las cosas que ya no estén en uso o no van a usarse más. Tanto la belleza como la sencillez piden un cuidado especial para cada una de las partes del mobiliario, para cada objeto y

para cada uno de los elementos decorativos, como también para todo el conjunto, de tal manera que no haya desorden o amontonamiento. El exceso ahoga estos diversos objetos y elementos, no dejándolos respirar ni funcionar debidamente. (*La Ambientación y el Arte en el Culto Católico*, 103)

Idealmente, el trabajo de los sacristanes de la parroquia es más que la limpieza semanal o mensual. En la parroquia se necesita un sacristán antes y entre las Misas del fin de semana. El cuidado por la condición total del espacio de culto donde se celebra la liturgia, así como por las vestiduras, vasos, velas, pan y vino para cada celebración de la eucaristía, se lleva a cabo de una mejor forma por una persona o compartido entre varias. Esto alivia al que preside y a otros ministros de dichas tareas en los momentos cruciales, antes y después de la liturgia; resalta también el cuidado y la necesidad de compartir las tareas en la liturgia.

1. Los sacristanes son quienes cuidan la parroquia, la casa de la Iglesia. Menciona tres o cuatro cualidades que son indispensables para los sacristanes.

2. Con mucha frecuencia hay artistas muy talentosos y artesanos dotados de grandes cualidades en nuestras parroquias o barrios, pero como estamos satisfechos con la mayoría de los artículos que usamos para nuestra liturgia, a algunos se les ha hecho sentir que sus dones no se necesitan. ¿Cómo puedes integrar a estas personas a tu parroquia?

3. En tu parroquia ¿Cómo hacen el pan del altar que utilizan cada semana?

4. ¿En qué medida los sacristanes son parte de la totalidad de la liturgia de tu parroquia? ¿Qué tipo de cualidades debe tener un sacristán?

5. ¿Qué responsabilidades les ha dado tu parroquia recientemente a los artistas o artesanos? ¿Cómo los escogieron?

Los sacristanes pueden tener cualquier edad y sexo. Lo que cuenta es la capacidad para hacer las tareas y disfrutar con ellas. Hace tiempo, para ser sacristán había que estar ordenado. Durante este siglo, este papel lo han desempeñado sobre todo las mujeres: los muchachos eran monaguillos y las muchachas sacristanas. Hoy en día, todos son bien recibidos, jóvenes y viejos, hombres y mujeres, y la diversidad de talentos individuales aporta nuevas maneras de entender esta tarea. Las parroquias que cuenten con gran número de voluntarios para proyectos tales como la decoración navideña y pascual estarán dispuestas a incluir en ella familias enteras.

G. Thomas Ryan

La Iglesia tiene necesidad de santos, sí, pero también de artistas, artistas buenos y talentosos. Ambos, artistas y santos, son testigos del Espíritu viviente de Cristo.

De ustedes es la confianza y el privilegio de dar a la Iglesia nuevos artistas que expresen y acrecienten la santidad de la Iglesia.

Pablo VI

La auténtica intuición artística va más allá de lo que perciben los sentidos y, penetrando la realidad, intenta interpretar su misterio escondido. Dicha intuición brota de lo más íntimo del alma humana, allí donde la aspiración a dar sentido a la propia vida se ve acompañada por la percepción fugaz de la belleza y de la unidad misteriosa de las cosas. Todos los artistas tienen en común la experiencia de la distancia insondable que existe entre la obra de sus manos, por lograda que sea, y la perfección fulgurante de la belleza percibida en el fervor del momento creativo: lo que logran expresar en lo que pintan, esculpen o crean es sólo un tenue reflejo del esplendor que durante unos instantes ha brillado ante los ojos de su espíritu.

Juan Pablo II

Otros ministros

En un ritual como el de la eucaristía dominical o la celebración de una boda, los ministros comparten muchos dones o talentos. Hemos hablado de la mayoría de ellos. Algunos otros, no menos importantes, son mencionados aquí de manera breve.

Horneadores de pan. "La naturaleza misma del signo exige que la materia de la celebración eucarística aparezca como verdadero alimento. Conviene, pues, que el pan eucarístico, aunque sea ázimo y elaborado en la forma tradicional, se haga en tal forma que el sacerdote, en la Misa celebrada con el pueblo, pueda realmente partir la hostia en partes diversas y distribuirlas, al menos a algunos de los fieles" (*Instrucción General para el uso del Misal Romano*, 283). Para cumplir esta norma, que tiene mucho sentido común, la parroquia verá que "el trabajo de manos humanas" sea algo local, ya que es un ministerio íntimamente ligado con la eucaristía.

Movimientos y gestos. Hay necesidad de aquellas personas con sensibilidad y movimiento para que ayuden a todos los ministros. La asamblea, el presidente, el lector, los acólitos y así sucesivamente: todos estos ministros se mueven al hacer su parte en la oración de la parroquia, todos tienen la oportunidad de utilizar la gestualidad. Sin embargo, pocos ministros son conscientes de la fuerza y belleza de los movimientos y gestos bien realizados, o de la fuerza que poseen para distraer a la asamblea cuando se realizan de una manera pobre y precaria. Los ministros pueden aprender a realizar sus movimientos y gestos como parte integral de la liturgia. Esto no es cuestión de aprender a caminar o a hacer genuflexiones en la manera en que alguna otra persona lo hace, al contrario, un artista puede dirigir a cada persona a sus expresiones más fuertes que se realizan en estos gestos.

Coordinadores y organizadores. Este ministerio comúnmente se ejerce por el comité de liturgia o algún equipo parroquial. Más y más, la planeación significa trabajo y creatividad con los tiempos litúrgicos del año y con los domingos del Tiempo Ordinario. Implica también la planeación de varias celebraciones sacramentales, tales como servicios comunitarios de reconciliación, confirmaciones, bodas. Algunas de estas celebraciones sacramentales deben ser vistas cada vez más como parte del tiempo litúrgico, por ejemplo, los actos penitenciales de la parroquia durante la Cuaresma o la unción comunitaria de los enfermos durante la Pascua. Otras celebraciones serán la responsabilidad de grupos especiales cuyo ministerio es trabajar con las personas envueltas en la boda, el funeral o el bautismo. Aparte de la planeación, hay que hacer el trabajo de coordinar, que implica el establecimiento de algunas estructuras que ayuden a reclutar, formar y organizar el horario de todos los ministros. Idealmente, cada ministerio se ocupa de su propio reclutamiento y capacitación, así como de las oportunidades para reflexionar, orar y convivir de manera unida.

Coordinación. En las parroquias grandes será de gran ayuda tener a alguien presente en la iglesia antes de las Misas dominicales simplemente para asegurarse de que todos los ministros asignados estén presentes, de que se reúnan para orar durante unos momentos y de que los ministros estén al tanto de lo que se ha planeado para la liturgia dominical. Este ministerio tiene una importancia especial cuando hay bautismos, primeras comuniones, el uso de materiales audiovisuales, una dramatización de las Escrituras dominicales o algo más que la parroquia haya planeado.

Hoy muchas parroquias han contratado o están considerando contratar un director de la liturgia parroquial. El trabajo de esta persona no es reemplazar a ninguno de los ministros, sino cuidar de las necesidades de todos y contribuir con su tiempo, creatividad e imaginación de tal manera que habilite a la parroquia entera a orar verdaderamente con su liturgia, es decir, a orar la liturgia, para que con el paso del tiempo, la asamblea pueda hacer totalmente suya la oración de la Iglesia.

1. Después de instituir una variedad de ministerios en la parroquia y de hacer planes creativos para el culto, aún queda la tarea de reunirlos a todos. Algunas veces los mejores planes pueden fallar porque no hay nadie que coordine o dirija el esfuerzo. ¿Quién instruye a los ministros acerca de la liturgia del tiempo que está viviendo la Iglesia, o de la fiesta que celebra ese día? ¿Quién toma la responsabilidad de esa coordinación?

2. ¿Tu parroquia hornea su propio pan eucarístico? Esto requiere del liderazgo de un coordinador (u organizador) y del trabajo de un grupo de personas que harán la mezcla, la amasarán y hornearán. ¿Podrías ofrecerte para desempeñar este servicio en tu parroquia? Si tu parroquia no hornea su propio pan, ¿podrías ser la persona que hiciera posible la iniciacíon de este ministerio?

Los ministros no deben clericalizar la liturgia. La liturgia no es propiedad de nadie, sino de la Iglesia, del Cuerpo de Cristo, que es a la vez sujeto y objeto de cada acción litúrgica. Dado que cada acción litúrgica es una acción eclesial, los ministros litúrgicos de cualquier orden son servidores de esta acción en la medida en que ellos son servidores de la asamblea eclesial. No solamente deben serlo; más que todo, deben manifestarlo.

Thomas Simons y James Fitzpatrick

La liturgia no es un teatro donde los actores que están en el foro buscan reverencias y aplausos al frente o detrás de las cortinas. Es un campo común donde el pueblo de Dios permanece desnudo y con las manos vacías frente a la presencia del Creador. Nuestro tiempo y oración en este lugar santo es servido por pecadores como nosotros, cuya única vestidura es la nuestra, también: somos revestidos en Cristo con una nueva creación. Estos servidores marcan el camino para todos los que se reúnen. Su proximidad a la mesa y al ambón es uno de sus servicios, no su prioridad. Los servidores son vistos y escuchados de tal manera que vean y escuchen al Señor en medio de nosotros. Si ellos son los primeros servidos en la mesa, es porque deben ser alimentados para servir a los demás. No se distinguen mucho por lo que hacen, sino porque toman el trabajo de quien realiza esta acción.

Austin Fleming

La Misa

La Misa es el ritual con el que estamos más familiarizados. En esta sección nos acercaremos a la Misa en su acepción de un ritual.

Los coordinadores de liturgia y los ministros de la asamblea, tanto o más que otros católicos, necesitan un conocimiento más pleno de otras dimensiones. La teología y espiritualidad de la Misa nos ofrece imágenes de su lugar dentro de la vida de la Iglesia y de los individuos que la conforman. Algunas de estas dimensiones son más accesibles cuando vemos un despliegue de la Misa como ritual desde el principio hasta el final: los ritos iniciales, la proclamación de la Palabra, la liturgia de la eucaristía y los ritos conclusivos. Necesitamos tener cierto entendimiento de la Misa como ritual y la manera en que el buen uso y ejecución de este ritual es vital para nosotros.

La eucaristía dominical

ucho de lo que se ha dicho sobre el rito y los elementos que pertenecen a la oración y ministerio común, se unen y ponen en práctica cuando celebramos la eucaristía dominical. A continuación trataremos de exponer los elementos de esta liturgia específica. Luego, daremos una mirada a la liturgia de los otros sacramentos y ocasiones especiales.

La Misa une dos rituales que existieron antes de forma separada: la Liturgia de la Palabra y la Liturgia de la Eucaristía. Ambas partes se influyen mutuamente por su asociación directa de una con la otra. Además, varios ritos nos ayudan a hacer una transición entre las diferentes partes que la componen. Los ritos introductorios, por ejemplo, conectan la acción de salir de nuestro hogar y ritmo de vida y luego reunirnos para este momento de oración; la preparación de los dones hace la transición entre la escucha de la Palabra y la eucaristía; los ritos conclusivos establecen nuevamente la conexión entre el lugar de oración y el hogar.

Todos estos elementos son naturales al ritmo de vida. La gente busca maneras comunes para orar, es decir, la oración se hace con signos comunes a la vida de las personas, de tal manera que todos conecten su experiencia de vida al encuentro con Dios en la oración. Desde el comienzo, los cristianos se reunían para la fracción del pan el primer día de la semana, el domingo o día del Señor, como lo llamarían más tarde. El día después del *Sabat*, que es el séptimo día de la semana, se asoció con el octavo día, el día de la salvación, el día más allá del tiempo, el día de la salvación. La observación de este día mantiene el ritmo familiar durante los siete días de la semana. Los primeros cristianos se reunían para la acción de gracias, la alabanza a Dios y a compartir la comunión. Cuando los cristianos se reunían durante la semana en las casas o en grupos más grandes, lo hacían para leer las Escrituras, orar y cantar himnos, pero no para celebrar la eucaristía.

Con el paso de los siglos, muchas cosas fueron alterando esta práctica, y desde muy temprano los ritos de la palabra y la eucaristía estaban unidos. Paulatinamente, la celebración de la palabra y la eucaristía, como Misa propiamente, se fue expandiendo a los días de semana.

Gradualmente, la Misa como acción de la asamblea fue dando paso a la Misa como la ceremonia del que preside, y no importó mucho si la gente estaba o no presente, o la forma en cómo participaba. Muchos de los reformadores protestantes abolieron la celebración diaria de la Misa. Es más, algunos de sus seguidores tuvieron la eucaristía dominical sólo algunas veces durante el año.

Por ésta y otras razones, gran parte de las comunidades mantuvieron la asociación de la eucaristía con el domingo. Algunas veces esta asociación ha sido débil y se ha mantenido solo por el sentido de "domingo de obligación", pero esto es parte de nuestra tradición que no se borró con el tiempo. Algunas prácticas recientes, junto con las enseñanzas, han llevado a enriquecer los días de semana en la casa y la parroquia con la Oración de la Mañana y de la Tarde, fortaleciendo los lazos entre el domingo y la celebración comunitaria de la eucaristía.

El primer día de la semana, el domingo, y la reunión para la fracción del pan están estrechamente ligados entre sí; se engrandecen mutuamente. El domingo, que simboliza la nueva creación y la liberación del pecado y de la muerte, requiere la celebración de la eucaristía. La eucaristía, como proclamación de la muerte y resurrección del Señor hasta que vuelva, necesita del domingo, necesita mantener el día del Señor como un día sagrado. Esto significa algo más que llenar el espacio dominical con la Misa. De esta forma, la participación en la Misa del domingo es esencial en la vida del cristiano: nos hace conscientes de una participación libre para poder orar por nuestras preocupaciones y orar sobre los dones del pan y vino, nos dispone a escuchar las Escrituras, y recordar y celebrar algo que en ocasiones se pierde durante la semana. Es éste el día que modela y marca la pauta para el resto de la semana. Somos humanos. Somos un pueblo activo, pero también necesitamos de la contemplación. Necesitamos separar el ritmo de un día para contrarrestar el ritmo de los otros seis. El domingo, como día de liberación, es un tiempo sagrado, un espacio para recordar, un tiempo para la recreación, un espacio para reunirse, un lugar para la acción de gracias y la alabanza en comunidad.

Al final, la combinación de todos los elementos debe funcionar como un conjunto: los esfuerzos familiares hacen del domingo algo que oriente a la Misa, los esfuerzos del equipo de liturgia y los ministros que participan en ella, hacen que los presentes sepan y experimenten juntos la eucaristía.

1. ¿Cómo te preparas para celebrar el domingo? ¿Cómo lo haces? ¿Qué sentimientos especiales evoca en ti el día domingo? ¿Cómo te gustaría sentirte?

2. La eucaristía dominical exige no solamente una preparación seria de toda la liturgia, sino un esfuerzo continuo para renovar la importancia del domingo como el día del Señor. La buena liturgia dominical exige que los cristianos hagan del día del Señor algo diferente en su vida. ¿Cuáles serían algunas formas prácticas para hacer del domingo el día del Señor, en tu familia y en tu parroquia?

3. ¿Cuál debería ser nuestro comentario sobre las personas que ven la Misa dominical como una obligación, aunque es posible que nosotros apoyemos esa actitud con la manera en que participamos y nos preocupamos por la liturgia?

4. ¿Qué tan diferente se celebra la Misa dominical en relación a las Misas de la semana?

Venir a Misa el domingo es venir a realizar la alianza con Dios. Cada Misa de domingo es vivir la alianza que me hace respetar a Dios y sentir a Dios como el único Dios verdadero; frente al cual tengo que derrumbar todos los ídolos que le quieren quitar el puesto a Dios en mi propio corazón o en mi pueblo: ídolo del poder, ídolo del dinero, ídolo de lujuria, ídolo de todas esas cosas que apartan a los hombres de Dios. El domingo tiene que ser para nosotros la alianza que se renueva con el Señor.

Oscar A. Romero

En el transcurso de los siglos cristianos, el domingo ha permanecido como un punto fijo de referencia, otorgando un ritmo fijo a las vidas cristianas que se han desarrollado en circunstancias muy diferentes de tiempo y lugar. Sin embargo, a pesar de su estabilidad, ha llegado a significar muchas cosas. Esto puede verificarse incluso en los primeros siglos, con los diferentes nombres que se le daban al domingo: "el primer día de la semana", "el día del Señor", "el octavo día", sólo por mencionar los más comunes. Después, en la Edad Media, se habló de él análogamente con el *Sabbath*. Cada uno de estos nombres, más el tipo de observaciones consideradas apropiadas para este día, reflejan diferentes puntos de vista del misterio del domingo.

Mark Searle

La asamblea se reúne

No somos televisores que podemos cambiar automáticamente de un canal a otro en cuestión de segundos. La experiencia humana de transición de un tiempo a otro se hace en forma gradual. Esta realidad se manifiesta en los espacios que construimos: vestíbulos, salas de espera, entradas. Sucede lo mismo en la forma en que nos relacionamos diariamente con los demás: un saludo antes del motivo central que nos reúne, la presentación y la forma en que nos despedimos una vez que hemos realizado nuestra tarea.

Lo mismo ocurre con la gente que se reúne para orar. Los ritos que preceden a la lectura de las Escrituras, de alguna u otra manera, son introducciones que nos preparan para entrar de lleno a la acción de la eucaristía. Pero aun antes de que cantemos el himno de entrada o hagamos juntos la señal de la cruz, participamos en los ritos menos formales de nuestra reunión: todo lo que sucede y todo lo que nos rodea desde el momento en que salimos y nos dirigimos a la iglesia para celebrar la eucaristía, hasta el canto de entrada.

La importancia de estos momentos y saludos informales es crucial. Es aquí donde los ujieres hacen su ministerio de hospitalidad y bienvenida. Éste es el momento en que todo debe estar listo para comenzar, sin tener que bucar a algún ministro a última hora. Todo el ambiente debe ofrecer una cálida bienvenida, abierta a toda persona que desee entrar y permanecer en silencio, o aquellas que deseen intercambiar algún saludo con los amigos. Es posible que éste sea un momento para practicar los cantos que se utilizarán para la liturgia, o que alguien del coro esté tocando algo instrumental para crear el ambiente ideal. La iluminación también es importante en este momento y en toda la liturgia por el ambiente que prepara el énfasis que le da; la ambientación y el arte deben evocar el espíritu del tiempo litúrgico o de la celebración del día. Estos momentos informales terminan al momento de la bienvenida por el cantor, ujier o comentador. Entonces se invita a la asamblea a ponerse de pie y cantar el himno de entrada. Ésta no es una canción para dar la bienvenida "al celebrante"; "el fin de este canto es abrir la celebración, fomentar la unión de quienes se han reunido, elevar sus pensamientos a la con-

templación del misterio litúrgico o de la fiesta". (*Instrucción General para el Uso del Misal Romano, 25*)

"Todo lo que precede a la liturgia de la Palabra, es decir, el canto de entrada, el saludo, el acto penitencial, el *Kirie* con el Gloria y la oración de apertura, tienen el carácter de exordio, introducción y preparación. La finalidad de estos ritos es hacer que los fieles reunidos constituyan una comunidad y se dispongan a oír como conviene la Palabra de Dios y a celebrar dignamente la Eucaristía" (*Instrucción General para el Uso del Misal Romano, 24*).

Esta nota sobre el carácter es muy importante. Estos ritos deben ser vistos de acuerdo a lo que intentan ser o hacer: introducir, preparar, ayudar a la gente a que se sienta como una comunidad de culto. Si es así, entonces las partes del rito de entrada no son vistas como acciones que necesitan hacerse una después de otra. Se deben ejecutar de tal manera que éstas cumplan su propósito: al final de los ritos de entrada, cuando nos sentamos para escuchar las Escrituras, nos sentimos como una comunidad que ha tomado algo del espíritu del día para la liturgia de la Palabra. Hay que notar que es algo que recibimos, no algo que viene debido a la suma de los actos que se realizan.

El *Directorio de Misas para Niños* reconoce que nuestros ritos introductorios son demasiado densos, con varios elementos que no realizan una función eficiente. "Puesto que los ritos iniciales de la Misa tienen por finalidad 'que los fieles reunidos constituyan una comunidad y se dispongan a oír como conviene la palabra de Dios y a celebrar dignamente la Eucaristía', hay que procurar suscitar en los niños estas disposiciones y no abrumarlos con la variedad de ritos que aquí se proponen. Por ello, se puede omitir alguno de los ritos iniciales y darle más fuerza a otro. Pero siempre debe haber, al menos, un elemento introductorio, que concluya con la Oración Colecta" (*Directorio para Misas con Niños, 40*). La dirección que se presenta en este documento se aplicará más ampliamente en el futuro, como lo indican las notas introductorias del nuevo Misal Romano. Las cualidades que se esperan son balance, fluidez y ritmo. Todo el rito introductorio debe ser solamente eso: una introducción. Pero a veces tiene la tendencia de crecer y ser evento en sí mismo.

El canto en comunidad, una buena música de procesión, una procesión bien hecha en medio de la asamblea, un buen saludo y un signo de la cruz como gesto común, junto con el silencio que nos lleva a la oración, tienen el potencial de construir un sentido y ambiente de oración en comunidad. Aun así, se pueden tomar diferentes características de estos elementos para enfatizarlos de acuerdo al tiempo litúrgico que vive la Iglesia o la celebración del día. Sin embargo, el ritmo y la pauta de los elementos introductorios es un elemento extremadamente importante.

Cada uno de los elementos de los ritos iniciales necesita ser bien entendido por quienes planifican y preparan. Por ejemplo, el rito penitencial contiene una letanía de alabanza por la bondad de Dios con nosotros, no la confesión de ciertos pecados. El Gloria debe ser cantado, pues por ser un texto largo, no resulta bien recitarlo, pues de esta forma expresa la energía que le caracteriza.

1. ¿Cómo describirías el ambiente de tu iglesia poco antes de que inicie la Misa? ¿De conmoción? ¿De expectación ansiosa? ¿Lleno de paz? ¿De frialdad? ¿Por qué crees que existen estas actitudes?

2. ¿De qué manera se emplea el tiempo antes de la Misa en tu parroquia? Recuerda: estos momentos antes de la Misa, son de valor inestimable, pues ayudan a que tanto la asamblea como los ministros se preparen para la celebración de la liturgia. Para los ministros, este tiempo debe incluir una revisión final de las responsabilidades para la celebración; pero más que éso, debe haber un momento de quietud y, posiblemente, un momento de oración en grupo. Es posible que la asamblea necesite un ensayo de la música o una breve introducción a la liturgia del día. De no ser así, usualmente debe haber un momento de silencio o un preludio de reflexión antes de la procesión de entrada.

3. Llegadas tarde: ¿Es un pequeño problema que nunca desaparecerá o es un obstáculo para que se realice una buena liturgia? ¿Por qué?

Al acercarnos a esta mesa, dejamos a un lado la separación mundana que se basa en la cultura, la posición social o cualquier otra diferencia. Los bautizados ya no pueden admitir las distinciones de edad, sexo, raza o riqueza. La comunión es la razón por la cual el prejuicio, el racismo, el sexismo, la preferencia por la riqueza o el poder, deben desaparecer de nuestras parroquias, de nuestros hogares y de nuestra vida. La comunión es la razón por la que no llamaremos enemigos a los que son seres humanos como nosotros. La comunión es la razón por la que no dedicaremos las riquezas de nuestro mundo a escalar la carrera armamentista, mientras que los pobres se mueren de hambre. No podemos hacer eso después de habernos alimentado con el "Cuerpo quebrantado" y con la "Sangre derramada" para la vida del mundo.

Joseph Louis Bernardin

Liturgia de la Palabra: I

La forma en que los cristianos cuentan sus historias a través de los rituales se debe en gran parte a la experiencia de transmitir las historias en los rituales de las comunidades judías en los tiempos de Jesús. El elemento central de estos ritos es, y era, la proclamación de las Escrituras. Estos escritos contienen narración, poesía, profecía, leyes y cartas, las cuales conforman una historia que nos pertenece a todos. La liturgia de la palabra simplemente provee una estructura que permite que lo que se lee y escucha se haga de una manera efectiva, hermosa y común.

El modelo que ha llegado a nosotros pide dos o tres lecturas de las Escrituras, de las cuales la última se toma de uno de los Evangelios. Los elementos que rodean la lectura de las Escrituras ayudan a la asamblea a escuchar, reflexionar y responder a Dios que habla a través de las lecturas. Hay una fluidez en este rito: Escritura, silencio, el salmo, Escritura y silencio. Luego viene el Evangelio acompañado con el Aleluya y la homilía. El rito concluye con la oración de los fieles. Si no se pone suficiente cuidado a todos estos elementos, el rito en su totalidad puede llegar a ser simplemente una aglomeración de palabras una sobre otra. El ir y venir del silencio, la palabra y el canto es lo que da a este rito su propio ritmo. Por lo tanto, cada elemento debe presentarse y realizarse debidamente. Es como en la música, todo depende de la relación que existe entre ellos: el ritmo, la fluidez y harmonía que da sentido al todo.

Nuestra Iglesia da una gran importancia a los ritos básicos de la lectura y la escucha. Ya sea que nos reunamos para la eucaristía, el bautismo u otro rito, se abre el libro de las Escrituras y se proclama de él. En el orden y acomodo actual de las lecturas, como aparecen en el Leccionario, los Domingos del Tiempo Ordinario presentan la lectura constante de las cartas del Nuevo Testamento en la segunda lectura y de los Evangelios: Mateo en el año A, Marcos en el año B y Lucas en el año C. Durante los tiempos especiales del año, esta lectura continua de las Escrituras se interrumpe al usar los pasajes que van más de acuerdo con el tiempo litúrgico que celebramos, y que son la base para el Adviento y Navidad, Cuaresma y Pascua.

Los proclamadores, diáconos y sacerdotes tienen la tarea de proclamar las Escrituras de manera que éstas reciban la atención de todos. En este momento, el papel de la asamblea es el de escuchar y reflexionar. Leer la lectura junto con el proclamador no es escuchar. Las lecturas son leídas para ser escuchadas. Con la actitud y posición de escucha a las lecturas, la persona se dispone mejor a escuchar la lectura y deja lugar para que las palabras penetren en el corazón.

La proclamación de las Escrituras a lo largo del año nos forma y desafía, nos consuela, conforta y abraza. La función del homilista es tratar de crear un diálogo entre las lecturas y la experiencia de vida y fe de la comunidad, así como unir la lectura al espíritu del tiempo litúrgico que vive la Iglesia, de manera que la Palabra hable al corazón transformando la vida de los fieles. En cierta manera, es confrontar la vida de la comunidad con el mensaje de las Escrituras.

Siempre ha estado presente en la Iglesia la importancia de compartir las historias contenidas en las Escrituras a través de los siglos. La proclamación de la Palabra nos ayuda a recordar nuestra propia identidad, quiénes somos en relación con Dios y la creación. Cuando la proclamación de la Escritura se hace enfrente de la asamblea, produce un efecto diferente al que se logra si ésta es leída por cada persona fuera de la liturgia. Lo ideal es que las lecturas del domingo ya estén disponibles con anterioridad para la gente, para que así se preparen para su participación más activa en la liturgia, por medio de la lectura, reflexión y diálogo familiar o a nivel personal. La preparación de la asamblea ayuda a que la liturgia sea más viva y plena, pues las personas ya están familiarizadas con las palabras de las lecturas en su propia vida. Los comités de liturgia, al igual que los homilistas, necesitan tener un buen entendimiento sobre cómo usar las lecturas en los tres ciclos del Leccionario, y saber cuál es el tono de cada evangelista en relación con el año litúrgico. Necesitan saber que el Año "A", es el "Año de Mateo", que las Escrituras que se proclaman en cada estación litúrgica (Adviento, Navidad, Cuaresma y Pascua) tienen su propia integridad, y que hay un flujo continuo de las cartas de Pablo y de los Evangelios en el transcurso del Tiempo Ordinario.

El aislar los domingos, tratando de identificar un tema para cada uno, limita la comprensión y la vista panorámica que se quiere dar con la variedad de los tiempos litúrgicos. Los que planean la liturgia necesitan, más bien, poner atención en la unidad y continuidad que existe de un domingo con otro. Durante el Tiempo Ordinario, las historias hacen precisamente eso: presentan una historia continua semana a semana.

No es cuestión de decidir si las Escrituras de hoy hablan de la justicia, por lo tanto tendremos que buscar cantos que tengan referencia a la justicia, una homilía acerca de la justicia, letreros que hagan alusión a la justicia y cosas por el estilo. En vez de eso, hay que captar el sentido de las Escrituras, que se refieren a muchas cosas en muchos niveles, siendo la justicia una de ellas, de tal manera que podamos encontrar una idea sobre el Adviento en una lectura que se proclame en agosto. El contar la historia en este rito nunca ha tenido la intención de ignorar la poesía, o decir que la Escritura significa esto o aquello y nada más. Por esa razón, leemos las Escrituras y no libros de teología o la vida de los santos, pues la Palabra de Dios es algo siempre abierto, y no algo definido y limitado. Las Escrituras no son información histórica, ni la piedad de alguien más que ha sido escrita. Están ahí para ti, hablan de mí, de cualquier persona, de nosotros mismos. Pueden ser mi historia, nuestra historia, que escuchamos y reflejamos como Iglesia.

1. Si nuestro entendimiento de los libros es pobre, mantenemos el mal hábito de ir de texto en texto sin ningún tipo de pausa, sin dejar nunca un espacio para el silencio o la reflexión o para saborear el ritmo de todos los elementos que se unen. Ni el Leccionario ni el Misal Romano son rituales con fórmulas automáticas. Éstas deben ser escuchadas, implican una respuesta, no una lectura mecánica y sin pausas. ¿De qué manera has experimentado que esto es cierto?

2. ¿Qué hacen los misalitos para mantener el ritmo y el flujo de la liturgia de la Palabra? ¿De qué manera los misalitos encierran a la gente en una piedad individualista dentro de la liturgia?

La Iglesia ha venerado siempre las Sagradas Escrituras al igual que el mismo Cuerpo del Señor, no dejando de tomar de la mesa y de distribuir a los fieles el pan de vida, tanto de la palabra de Dios como del Cuerpo de Cristo, sobre todo en la Sagrada Liturgia. Siempre las ha considerado y considera, juntamente con la Sagrada Tradición, como la regla suprema de su fe, puesto que, inspiradas por Dios y escritas de una vez para siempre, comunican inmutablemente la palabra del mismo Dios, y hacen resonar la voz del Espíritu Santo en las palabras de los Profetas y de los Apóstoles.

Es necesario, por consiguiente, que toda la predicación eclesiástica, como la misma religión cristiana, se nutra de la Sagrada Escritura, y se rija por ella. Porque en los sagrados libros el Padre que está en los cielos se dirige con amor a sus hijos y habla con ellos; y es tanta la eficacia que radica en la palabra de Dios, que es, en verdad, apoyo y vigor de la Iglesia, y fortaleza de la fe para sus hijos, alimento del alma, fuente pura y perenne de la vida espiritual. Muy a propósito se aplican a la Sagrada Escritura estas palabras: "Pues la palabra de Dios es viva y eficaz", "que puede edificar y dar la herencia a todos los que han sido santificados".

Constitución sobre la Divina Revelación, *21*

Liturgia de la Palabra: II

Esta sección y la siguiente se enfocarán en cada uno de los movimientos de la estructura ordinaria de la Liturgia de la Palabra. *La primera lectura.* Ordinariamente, la liturgia dominical tiene dos lecturas de la Escritura antes del Evangelio. Usualmente, la primera lectura está tomada de las Escrituras hebreas y guarda cierta relación con el Evangelio del día. Esta relación no es para mostrar polos diferentes entre lo "viejo" y lo "nuevo", o entre lo "parcial" y lo "completo", entre la "sombra" y la "realidad". Más bien, muestra una relación de continuidad de nuestra fe con la Primera Alianza (este énfasis se ha dado en las directrices del Vaticano de 1975 para la relación entre judíos y católicos). El uso de las Escrituras Hebreas en nuestras liturgias dominicales nos dice claramente que nuestra fe no se origina en Jesús, de hecho, sólo podremos entender a Jesús y su predicación en la medida en que nos sumerjamos en toda la Escritura, a la que llamamos santa, especialmente aquella en la que se formó Jesús. Algunos comentarios que se hacen a modo de introducción dan la impresión de que la función de estas lecturas es secundaria y que lo único que hacen es prepararnos para el momento verdadero. No es cierto. En el cuidado de la preparación, en la atención y el respeto de la propia asamblea, la primera lectura es tan importante como las que siguen. La manera en que ésta sea proclamada determinará si las lecturas que siguen serán escuchadas o no.

Silencio. La *Instrucción General para el Uso del Misal Romano* denota que hay diferentes ocasiones en la liturgia en las que el silencio es parte del ritual: entre cada una de las lecturas y después de la homilía. El silencio es necesario una vez que la Escritura ha sido proclamada y escuchada: hay algo sobre lo que hay que reflexionar, y un momento de silencio será ampliamente apreciado porque éste permitirá volver sobre una palabra o frase que haya llamado nuestra atención. Es un momento de silencio para todos; esto incluye a todos los ministros y cada uno en la asamblea. Nadie debe estar ocupado preparándose para el próximo paso o tratando de buscar algunas copias o acomodando a las personas que han llegado tarde a la liturgia. El silencio debe ser un momento que se logre en todos los rincones del templo. Una vez que la amplitud del silencio se logra semana

tras semana, no existen los nervios respecto a cuándo se romperá el silencio y evitará la sensación de que "no está pasando nada". Este silencio se convierte en un hábito de toda la asamblea.

Salmo responsorial. Surge desde el silencio. No como una respuesta rápida. No es un momento para tener un libro en la mano. El salmo simplemente fluye del silencio sin necesidad de algún anuncio previo. El estilo de la música continúa la reflexión y lleva a la participación activa de la asamblea. Para comunidades que recién se han acostumbrado a participar más plenamente en la liturgia, es apropiado que se use el mismo refrán o respuesta al salmo cada domingo del tiempo litúrgico que se viva, y no muchos durante el Tiempo Ordinario. La melodía y el ritmo ayudan a relacionarse con el tiempo que se celebra y une una semana con la otra. Esto también ayudará a que la asamblea no dependa de la música o la letra del salmo impresa, de manera que se pueda promover más la reflexión y la respuesta plena. Los salmos apropiados para los tiempos litúrgicos se encuentran en el Leccionario. Las comunidades que han logrado establecer un estilo participativo pueden crecer en su apreciación por el salmo como parte integral de las lecturas del día. Existen varias opciones de cómo cantar el refrán o respuesta al salmo; algunos de los cuales se encuentran en estilo de jaculatorias que ayudan a las personas a mantener el ritmo y quedarse con las palabras durante el resto de la semana. El ritmo de la Liturgia de la Palabra hace obvio que el canto es necesario, que la asamblea necesita cantar, y no otro conjunto de palabras habladas.

Segunda lectura. Es tomada de las cartas de Pablo o de los otros escritos apostólicos. Durante los tiempos litúrgicos, éstas son cuidadosamente seleccionadas. Durante el Tiempo Ordinario, tenemos una lectura continua de las cartas del Nuevo Testamento, semana a semana. Vemos que estas lecturas siguen su propio ritmo, incluso, parece no hacer ningún esfuerzo para relacionarse con la primera lectura o con el Evangelio. Éstas parecen más bien un relato epistolar progresivo. Esto requiere de un mayor esfuerzo por parte de los proclamadores y homilistas, especialmente cuando se quiere relacionar la homilía con las lecturas de la semana anterior. El hecho de que la segunda lectura siga su propio camino en una parte de la Escritura sugiere también que una persona diferente la proclame. Esto hará más obvio que no hay un tema que la unifique con las otras dos lecturas que se proclaman, pero sí ubica a la audiencia en diferentes lugares en la medida en que se desarrolla la Escritura como una totalidad. No se necesita un tema común para unir las tres lecturas. La asamblea como audiencia es capaz de mantenerse al tanto de diferentes acontecimientos. Una ilustración de cómo sucede esto lo podemos ver en diferentes escenas en las telenovelas o en la primera plana de los diarios.

Silencio. Seguido de las lecturas, hay un período de silencio y tranquilidad. Éste es necesario no sólo para la reflexión, sino también para permitir que la aclamación al Evangelio se realice con más fuerza. El lograr este contraste es muy importante para realzar el momento de la lectura del Evangelio con el canto del Aleluya.

1. ¿Con qué frecuencia la homilía que se predica en tu parroquia tiene como fundamento principal la primera lectura?

2. ¿Con qué frecuencia el homilista predica teniendo como punto de referencia el salmo del día?

En cierto sentido, nuestra liturgia es nuestra forma más perfecta de silencio. Está penetrada de un gran sentido de reverencia ante la grandeza de Dios que resiste y sobrepasa cualquier expresión. El individuo está en silencio. No traemos al campo común nuestras propias palabras. Nuestra proclamación de las palabras consagradas esencialmente es un acto de escucha a lo que ellas significan.

El silencio tiene un doble sentido. Primero, la abstinencia del discurso, del sonido. Segundo, un silencio más profundo, la ausencia de las preocupaciones, la permanencia. Uno puede articular las palabras con la voz y, aun así, puede permanecer en silencio dentro de sí. Uno puede abstenerse de proferir cualquier sonido y, aun así, sentirse dominante.

Ambos sentidos son inadecuados: tanto nuestro discurso como nuestro silencio. Sin embargo, hay un nivel que va por encima de los dos: el nivel de la canción. "Hay tres formas en las que cada uno expresa la profundidad de su dolor: la persona que se encuentra en el nivel más bajo llora; la del segundo nivel está en silencio; la que se encuentra en el nivel más alto sabe cómo transformar el dolor en una canción". La oración verdadera es una canción.

Abraham Joshua Heschel

Liturgia de la Palabra: III

Las aclamaciones. "Las aclamaciones son clamores de alegría que surgen de toda la asamblea como asentimientos enérgicos y significativos a la Palabra y la Acción de Dios. Son importantes porque destacan algunos de los momentos más significativos de la Misa (Evangelio, plegaria eucarística, el Padrenuestro). Es de su misma naturaleza que sean rítmicamente fuertes, melódicamente atractivas y afirmativas. El pueblo debería de conocer de memoria las aclamaciones, a fin de que las cantara espontáneamente" (*La Música en el Culto Católico,* 53). La *Instrucción General para el Uso del Misal Romano* refuerza este punto notando que cuando el Aleluya no es cantado, es mejor que se omita: no se puede hacer una aclamación sin levantar la voz, sin gritarla o cantarla. El Aleluya, o alguna otra aclamación durante la Cuaresma, rompe el silencio con el sonido y el movimiento. La aclamación no es sólo el cantar, sino también la procesión solemne con el Evangeliario, acompañado por las velas o por el incienso hasta donde se encuentra el ambón, así como también el movimiento de la asamblea de estar sentados a estar de pie, para indicar con ello la importancia del Evangelio y la atención más formal que éste requiere. La aclamación es un momento necesario después de haber estado en silencio y en reflexión. Con una breve introducción musical, todos deben unirse al canto del Aleluya.

El Evangelio. La proclamación del Evangelio comienza con el saludo del que preside o del diácono, el anuncio solemne y la respuesta con la señal de la cruz en la frente, en los labios y en el corazón. A la conclusión del Evangelio, hay una respuesta especial y la persona que ha proclamado puede besar el libro. El incienso o las velas que acompañan la procesión y la lectura del Evangelio ayudan a dar relevancia a este momento de la liturgia. Todos estos elementos son muy importantes, de tal manera que hay que buscar que el proclamador haga todo su esfuerzo para que la fuerza de estas lecturas tan familiares pueda sentirse.

La homilía. El que preside o el diácono tiene la tarea de compartir una reflexión sobre las Escrituras del día. Éste no es un tiempo de descanso, sino parte elemental de la liturgia, como lo es cualquier otro momento. La homilía abre la historia y la hace parte de la comunidad. Se trata de entablar un diálogo con la narración de las Escrituras que se han proclamado. La asamblea tiene la tarea de prestar atención y el homilista la difícil tarea de prepararse bien para dar una buena homilía.

El Silencio. Cuando el homilista se sienta, el momento que sigue es de silencio y reflexión. Debe mantenerse así.

El Credo. Los días domingos y días festivos, el credo se recita después de la homilía. En ocasiones se presenta como una buena oportunidad para responder a las lecturas y a la homilía con la reafirmación de nuestra fe. Sin embargo, es difícil hacer sentir esta larga fórmula como una afirmación. Cuando las demás partes se han realizado de buena manera, ésta puede aparecer como una interrupción en la liturgia.

La Oración de los Fieles. La oración que concluye la liturgia de la palabra es una antigua forma de orar: una letanía, cuyo contexto es también muy antiguo y muy humano: intercesiones que ponen nuestras necesidades delante de Dios. Esta oración se ha colocado en lo que parece ser el momento adecuado: la escucha y la reflexión han terminado, la Iglesia ha sido congregada por la Palabra de Dios, la asamblea ha estado en silencio, excepto por las breves aclamaciones. Se requiere de una oración que envuelva verdaderamente a la asamblea, y eso es lo que intentan hacer las intercesiones generales u oración de los fieles. Éstas comienzan con una breve presentación hecha por el que preside y, luego, la letanía comienza a desarrollarse. Al estilo de letanía, funcionan mejor si se cantan en vez de recitarse, pues dependen mucho de la fuerza con que éstas se repitan. Más que cantar las mismas palabras una y otra vez, necesitamos los mismos sonidos y el flujo que la música puede darnos, así como se canta la letanía a los santos o a la Virgen María con el impresionante *ora pro nobis* (ruega por nosotros) una y otra vez. La repetición de la asamblea es la afirmación o asentimiento a cada petición. En las intercesiones de la asamblea se ora por la Iglesia, las autoridades, los oprimidos y la comunidad local. La oración de los fieles debe tener fuerza en el ritmo que se le inyecte, de manera que apoye a la comunidad en oración, una comunidad orientada al servicio del mundo. Ésta es la oración de toda la Iglesia y debe hacerse sentir como tal. Al concluir, el que preside reúne las oraciones en una breve conclusión.

1. La aclamación al Evangelio puede engrandecerse cuando la acción de ponerse de pie se completa con un gesto de alabanza, así como cuando toda la asamblea eleva sus manos en un momento dado del canto.

2. ¿De qué manera se puede formar un grupo de aclamaciones que toda la asamblea sepa y pueda cantar plenamente?

3. ¿De qué manera puede apreciar el silencio una congregación?

4. ¿Qué tan atractivo y digno es el libro parroquial que contiene el tesoro de las Escrituras?

5. ¿Qué proceso lleva tu parroquia para la evaluación de las homilías?

6. ¿De qué manera pueden prepararse las intercesiones generales?

7. Piensa un poco en la calidad del lenguaje que se emplea en las invocaciones. ¿Se utilizan algunas imágenes? ¿Utilizamos palabras evocativas? ¿Se utiliza un formato constante en todo el conjunto de intercesiones? ¿Todas las invocaciones terminan con la invitación: "Roguemos al Señor", de tal manera que la asamblea sepa con precisión cuándo responder: "Te lo pedimos Señor"?

¿Qué es este lugar donde nos reunimos?

Solamente una casa, el piso es de tierra.

Paredes y techo, gente reunida,

ventanas para la luz, una puerta abierta.

A pesar de eso, se convierte en un cuerpo que vive

cuando nos reunimos ahí,

y sabemos que Dios está cerca.

Palabras de la distancia, estrellas que están cayendo,

chispas que se reflejan en nosotros como semilla:

nombres para nuestro Dios, sueños, signos e

inquietudes

enviadas desde el pasado; es todo lo que necesitamos.

En este lugar recordamos y hablamos

nuevamente lo que hemos escuchado:

el amor libre y redentor de Dios.

Y aceptamos pan en su mesa,

partido y compartido, como un signo viviente.

Aquí en este mundo, muriendo y viviendo,

somos el pan y el vino para el otro.

Éste es un lugar donde podemos recibir

lo que necesitamos incrementar:

nuestra justicia y la paz de Dios.

Huub Oosterhuis

Liturgia de la Eucaristía:
La preparación de los dones

La segunda parte del rito de la Misa es la eucaristía misma: la bendición sobre del pan y el vino, el compartir el pan, la sagrada comunión. Seguido de las intercesiones y antes de la plegaria eucarística, hay unos momentos más bien informales, momentos que por naturaleza son más privados y relajados. Así como en los ritos de introducción, éste es un tiempo de transición. La preparación de la mesa para la eucaristía y la colecta son las únicas tareas de este rito.

Estamos preparando la mesa. El pedir a algunos miembros de la asamblea que realicen esta tarea indica de quién es esta mesa, y quién provee el pan y el vino. Este no es el mejor momento para entonar cantos de ofrecimiento u otro tipo de canto por toda la asamblea. Puede haber música instrumental o coral.

Lo único que debe estar en el altar hasta este momento, fuera del mantel, son el pan, el vino y el Misal Romano. Sólo un plato debe contener pan suficiente para toda la asamblea. Las normas litúrgicas son muy claras al decir que el pan para la comunión debe ser consagrado en "esta" Misa, y que éste no se tome del tabernáculo o sagrario. Los vasos sagrados deben corresponder a la función litúrgica que tienen. Para el vino, hay sólo un cáliz y una jarra de cristal u otro tipo de vaso adecuado que pueda contener una cantidad suficiente para que de ahí comparta toda la asamblea. La presentación de estos vasos sagrados debe hacer obvia su tarea: recipientes del pan y del vino. Para el Misal Romano, si se necesita un tipo de atril, éste debe ser de un tamaño adecuado y discreto, para que no distraiga la atención de la asamblea. Tenemos que evitar el colocar micrófonos u otro tipo de objetos sobre el altar, a fin de evitar las posibles distracciones.

Si otros objetos se traen en procesión al altar como parte del rito de preparación de ofrendas, es probable que el pan y el vino no sean el punto central de atención. Si hay algún otro objeto que quisiera presentarse, puede traerse al comienzo de la liturgia o en la procesión de entrada, pues esta parte de la liturgia es para la preparación de los dones y de la mesa eucarística. Así como en las demás partes de la liturgia, debemos hacer lo que corresponde a cada momento, y hacerlo bien.

La falta de pompa no significa que no haya algo especial alrededor de la preparación de la mesa. Sin embargo, lo especial de este momento puede encontrarse en la manera delicada y reverente en la que se traen al altar los vasos sagrados que contienen el pan y el vino. El pan sin levadura, y la finalidad para la que lo hemos traído a la mesa, exige que aparezca como alimento verdadero (*Instrucción General para el Uso del Misal Romano*, 283) y que el vino inspire esta reverencia: el don de Dios y fruto del trabajo de manos humanas. Algunas personas han expresado el temor de que si el pan eucarístico no es enteramente diferente al pan de uso regular, la gente no tendrá reverencia hacia él. Pero los cristianos hacemos algo totalmente diferente en la eucaristía: es precisamente en lo ordinario que es el pan de cada día, del alimento y de la comunión que compartimos juntos donde encontramos al Señor. Somos personas llamadas a considerar cada pedazo de pan y cada persona que lo comparte con reverencia. En la Misa, la reverencia con la que se trata a el pan y el vino puede extenderse aun más con el uso del incienso sobre ellas.

La *Instrucción General para el Uso del Misal Romano* afirma que este tiempo de preparación también es un momento adecuado para recibir "el dinero y otros dones que los fieles aportan para los pobres o para la Iglesia; se consideran también como ofrendas; por eso se colocan en un lugar apropiado, cerca del altar" (49). La colecta es función de los ujieres, cuyos modales reflejan la actitud de hospitalidad. Es necesario que haya suficientes ujieres para que el tiempo dedicado a la colecta no se extienda demasiado y quede en desproporción al resto de la liturgia. Todos los miembros de la asamblea deben participar en este compartir, incluyendo a aquellos en ministerios especiales. En muchas parroquias la asamblea toma una función más activa en este compartir: todos en procesión caminan hacia el frente para depositar su ofrenda económica o los alimentos que se compartirán con los pobres.

El tiempo de preparación concluye cuando el que preside invita a la asamblea a orar juntos por la acción que ahora comenzamos. Es apropiado que la asamblea permanezca sentada hasta que respondan "Amén" a la oración sobre las ofrendas, que concluye este tiempo de preparación. De esta forma, el tiempo de preparación es separado claramente de la plegaria eucarística, para la cual permanecemos de pie.

1. La preparación para cualquier comida especial requiere de tiempo y espacio. ¿Cómo nos preparamos para una comida familiar? ¿Cuáles son los puntos esenciales de esta preparación?

2. Cuando tratamos de evadir la pompa en la procesión de los dones hacia la mesa del altar, también tratamos de evadir la casualidad que cambia la preparación de los dones en un mero desplazamiento del pan y el vino: de estar en la parte de atrás del templo, se trasladan hacia el altar. Éste es un balance delicado. ¿Cómo podríamos lograrlo en nuestra comunidad?

3. El coordinador de liturgia o alguno de los ujieres, ¿Pide a alguna persona o familia que participe en la procesión de los dones antes de la Misa, y evita así el correr y buscar personas a último minuto?

4. ¿Se les ofrece algún tipo de instrucción sencilla a las personas que llevarán los dones a la mesa sobre la manera de llevar los vasos sagrados, cómo caminar hacia el altar y cómo regresar a sus respectivos lugares en la asamblea?

A la oferta total que se me hace, solamente puedo responder con una aceptación total. Por lo tanto, debo reaccionar al contacto eucarístico con un esfuerzo entero de mi vida, de mi vida de hoy, y mi vida de mañana; de mi vida personal y de mi vida unida a todas las demás vidas. Periódicamente, es posible que las especies sagradas se desvanezcan en mí. Pero cada vez que esto pase, me dejarán un poco más sumergido en las diversas capas de tu omnipresencia: viviendo y muriendo; en ningún momento cesaré de caminar hacia ti. Por lo tanto, el precepto implícito en tu Iglesia, que debemos comunicar siempre y en cualquier lugar, se justifica con una fuerza y precisión extraordinarias. La eucaristía debe invadir mi vida. Mi vida debe convertirse, como resultado del sacramento, en un contacto ilimitado y eterno contigo; esa vida que parecía, hace unos momentos, como un bautismo contigo en las aguas del mundo, ahora se me revela como comunión contigo a través del mundo. Éste es el sacramento de la vida. El sacramento de mi vida, de mi vida recibida, de mi vida vivida, de mi vida entregada.

Pierre Teilhard de Chardin

Liturgia de la Eucaristía:
La plegaria eucarística

La eucaristía es para los cristianos una forma de demostrar lo que es en verdad nuestra vida y a lo que estamos llamados. La eucaristía es una alabanza a Dios, una manera de vivir continuamente agradecidos con Dios, en vez de un "agradecimiento" ocasional. Siendo fieles a nuestras raíces judías, cuando esta manera de vivir se expresa en una palabra o en un rito, éste tiene por objeto bendecir y alabar a Dios por uno mismo y los demás, por la creación entera y por otros acontecimientos. El rito con el que los cristianos se han identificado desde los primeros años de la Iglesia es precisamente con esta bendición: la alabanza y acción de gracias a Dios sobre el pan y el vino; un rito familiar a la oración y observancia judía que la primera Iglesia, y nosotros ahora, asociaba con Jesús.

Existen algunos problemas en la forma en que experimentamos la plegaria eucarística hoy en día. En su forma, usualmente ésta aparece como un monólogo—a veces interrumpido por algún verso cantado o hablado por la asamblea—que recuenta las múltiples razones que tenemos para estar agradecidos, incluyendo la narración de la Última Cena. No oímos mas que un eco sutil de nuestro encuentro alrededor de la mesa, donde por su belleza y presencia, el pan y el vino evocan la memoria de Jesús y de todo el amor de Dios por nosotros; evocando al mismo tiempo reverencia y agradecimiento.

Un problema más serio es que la acción continua de alabar y dar gracias no llena nuestros días; en consecuencia, tenemos muy poco que ofrecer en un momento como éste. ¿De qué manera podemos aprender a dar el tipo de agradecimiento que requiere nuestra fe?

Hasta ahora en la renovación de nuestra plegaria eucarística, sólo podemos comenzar a percibir cómo este rito debiera realizarse o conectarse a la vida de la comunidad. Esta oración debe ser una alabanza y acción de gracias a Dios por parte de toda la asamblea: son palabras dichas por el que preside, pero en las aclamaciones hay un sentido de que esta oración es una acción de toda la Iglesia presente. La Segunda Plegaria Eucarística para la Misa con Niños muestra claramente que estas aclamaciones—a menudo limitadas al Santo—son de suma importancia para la experiencia de la plegaria eucarística como el "centro de toda la celebración". En ese modelo hay cinco aclamaciones antes de la narración de la institución: dos dentro de ella, y cinco después. Lo que se ha dicho sobre las posturas, música y gestos en *La Ambientación y el Arte en el Culto Católico*, se aplica también al ritmo de esta parte de la liturgia. Las aclamaciones son para ser cantadas por el corazón y con mucho entusiasmo. Es posible que en alguna preparación de la plegaria algunos gestos sencillos acompañen este canto y agreguen la dimensión de participación total en la gran oración de acción de gracias.

La función del que preside es muy importante. Es él quien debe invitar a la asamblea a la oración: "Levantemos el corazón . . .", "Demos gracias al Señor nuestro Dios". Con palabras, gestos y posturas, el que preside debe hacer posible que la alabanza y la acción de gracias sea vista y escuchada por la asamblea entera, e invitarles a tomar parte en las aclamaciones. La asamblea no hace estas aclamaciones como una inserción de cantos pequeños aquí y allá, sino como una afirmación ritual gozosa de lo que se está llevando a cabo. Sobre los dones sencillos de pan y vino, todos, presidente y asamblea, recuerdan a Jesús y con Él, todas las maravillas de la creación y liberación; con una gran variedad de emociones recordamos y damos gracias. En su sencillez, la alabanza y la acción de gracias contienen todo esto.

Muy a menudo, se trata al rito como una lista de oraciones que deben pronunciarse. Dejando así que la asamblea siga el curso de la oración con los misales y que lea las "aclamaciones". Todo lo contrario, lo que necesita la asamblea son aclamaciones fáciles de cantar y que éstas marquen la oración en los momentos clave. Algo semejante a lo que hacen los dirigentes de las porras que entonan una canción popular en algún momento clave del encuentro deportivo que están presenciando. Necesitamos eliminar modelos de posturas y formas de hablar que sugieren que la participación de la asamblea es solamente de adoración y que deben estar como pasivos espectadores. Tenemos mucho que aprender sobre esta oración central de la liturgia y cómo experimentarla plenamente.

Existen 12 plegarias eucarísticas en español para el uso en los Estados Unidos. Estas plegarias dan una idea de lo que puede variar y lo que es consistente en las palabras y en la formación del rito. Además de esto, todas las plegarias ofrecen en su conjunto un sentido de la variedad de palabras que se pueden usar, siempre y cuando estén ahí para ayudarnos a expresar la acción de gracias y alabanza a Dios que nos ha reunido en este lugar.

1. ¿Cómo podemos fijarnos la meta de participar en la plegaria eucarística, de manera que ésta sea una expresión de alabanza y acción de gracias de toda la comunidad?

2. Algunas personas no se sienten muy cómodas cantando toda la plegaria eucarística, aduciendo que ésta toma mucho tiempo. En el grupo, hagan el experimento, ¿cuánto tiempo tomaría una proclamación verbal de la plegaria? ¿Cuánto tiempo tomaría cantarla?

3. ¿Cómo puede organizarse tu parroquia de tal manera que se utilicen todas las plegarias eucarísticas aprobadas durante el transcurso del año? ¿Qué otros recursos podrían ayudar a profundizar más en el sentido e implicación de la plegaria eucarística en nuestra vida personal y parroquial?

La postura más antigua que asumieron los cristianos durante la plegaria eucarística fue el permanecer de pie y con las manos en alto (la posición orante).

Desde el siglo VIII hasta el siglo XIII, aquellos que participaban plenamente en la liturgia continuaron la postura de pie durante todas las oraciones que dirigía el presidente, incluyendo el Canon. Como quiera que sea, en vez de mantener las manos en alto, los participantes permanecían de pie con su cabeza inclinada; sólo el presidente permanecía de pie con las manos extendidas.

La piedad del siglo XIII trajo consigo un cambio aun mayor. Se pidió que la asamblea se arrodillara siempre que vieran "el Cuerpo del Señor". Oficialmente, la postura de la asamblea aún era, a su vez, determinada por el nivel de su participación, el cual era determinado por el rango de la celebración: Para domingos y fiestas, en la *missa solemnia* o *missa cantata*, quienes participaban plenamente permanecían de pie, excepto durante la elevación; para los días penitenciales, en la *missa privata* o *missa lecta*, aquellos "que asistían" debían arrodillarse durante toda la Misa, excepto para la proclamación del Evangelio.

Por varias razones, la *missa lecta* o *Misa baja* se convirtió en la norma a seguir, incluso para el domingo y los días festivos. Incluso cuando la *missa cantata* o *missa solemnia* se celebraba, la mayoría de las asambleas continuaron asumiendo la postura de la Misa baja.

El Vaticano II pidió una revisión de la Misa, de tal manera que "la naturaleza intrínseca de sus partes, así como la conexión entre ellas, se manifieste más claramente, y que una participación devota y activa de los fieles, se logre más fácilmente".

La Iglesia aun está en proceso de atención a esta llamada.

Nathan Mitchell y John Leonard

Liturgia de la Eucaristía: La fracción del pan

Después del Gran Amén, hay un cambio de tono en la liturgia. La Plegaria Eucarística, que mantiene una forma unida desde el diálogo del prefacio hasta el Gran Amén, ha concluido. Ahora participamos en ritos breves en torno a la comunión: La oración del Señor, la paz y la fracción del pan. Una pausa (momento ideal para que los ministros de comunión se desplacen hacia el altar) es la que separa el Gran Amén de la Oración del Señor. También es una oportunidad para tomar un respiro.

La *Instrucción General para el Uso del Misal Romano* denota la tradición de la Oración del Señor en este momento de la liturgia: "En él se pide el pan cotidiano, que es también para los cristianos como una figura del pan eucarístico; y se implora la purificación de los pecados, de modo que, en realidad, 'se den a los santos las cosas santas'" (56). El Padre Nuestro contiene palabras con las que todos estamos familiarizados y todos debemos participar en él. El cantarlo fortalecerá el lazo de conexión que se experimenta por medio de esta oración siempre y cuando la asamblea entera se sienta confiada de cantarlo. Como escribió Robert Hovda: "Todo el rito de comunión es de paz, solidaridad y unidad. Estas virtudes y sentimientos indican el énfasis especial en el rito de comunión y en el tema que debe de prevalecer en esta parte del servicio. De esta manera, la oración de Jesús, en su inicio por medio la su articulación de nuestra hermandad común ante Dios y nuestro deseo de perdonarnos unos a otros, invita a una expresión vívida de nuestra unicidad".

Aún hay algo de resistencia en algunas comunidades que reaccionaron al reinstituir el saludo de paz en la liturgia. No obstante, éste es un gesto antiquísimo entre los cristianos, con un significado profundo. Este signo no es un momento para platicar dentro de la liturgia, ni un momento para el intercambio de noticias entre los participantes. Aún se necesita una buena catequesis a este respecto. El saludo de la paz es un ritual y debe de ser lo suficientemente fuerte en su expresión para que refleje un sentido profundo y honesto de los vínculos de nuestra Iglesia. En este momento, los ujieres deben estar atentos a que los visitantes en la comunidad reciban el saludo de la paz. De esta forma, el saludo de la paz hace de nuestra visión del Reino de Dios una realidad más tangible y cercana. Como escribió Robert Hovda: "No necesitamos ir a la iglesia para abrazarnos, pero el abrazo de la Iglesia es total, intencional y de misterio sagrado. Nuestros ojos se abren a la profundidad del ser personal, una situación en la cual un comportamiento obvio, bueno o malo, no domina nuestra respuesta hacia esa persona".

El siguiente momento en el rito está íntimamente ligado con la paz y con el rito de la comunión que le sigue. Es la fracción del pan, el rito que en la Iglesia primitiva dio nombre a todo el rito: Ellos se reunían "para la fracción del pan". ¿Quién puede decir lo que significa la fracción del pan? Es algo visible, pan que se ha separado, se ha fraccionado. Este gesto de partir el pan viene de la mesa familiar y de los alimentos de las personas con quienes compartimos la vida. De alguna manera, este gesto expresa la manera en que los primeros cristianos se veían a sí mismos. El gesto nunca desapareció, incluso durante los siglos en los que la comunión parecía ser tomada solamente por el sacerdote. Hoy, la *Instrucción General para el Uso del Misal Romano* insiste en que el pan que usemos en el altar pueda partirse y distribuirse. Necesitamos poner atención a la manera en que celebramos este rito, que a la vez es sencillo y tiene un significado fuerte y profundo. Podemos empezar utilizando porciones mayores de pan. Hay recetas sencillas para que algunos de los fieles que quieran asumir la responsabilidad de hornear el pan sin levadura para la liturgia eucarística puedan hacerlo. La cantidad de pan que debe usarse para una liturgia concreta puede deducirse fácilmente a partir de la experiencia. Lo mismo puede decirse del vino.

Una vez que el pan haya sido partido, se pueden traer platos [patenas] adicionales y copas [cálices] para la distribución de la comunión bajo las dos especies. Hasta ahora, en el altar sólo ha habido un plato o canasto con el pan, y una sola copa y un recipiente para el vino. Ahora el pan se parte y distribuye en los platos pequeños; el vino también se distribuye en las demás copas. Sólo si hubiese un error en el cálculo del pan que se necesita, éste puede tomarse del que hay previamente consagrado en el tabernáculo. El uso de pan consagrado previamente para la celebración eucarística en turno, no es recomendable por la *Instrucción General para el Uso del Misal Romano* (56).

Cuando se ofrece la copa a todos aquellos que se acercan en procesión, reafirmamos el símbolo de la vid y el trabajo humano como una expresión de satisfacción, festividad y comunión. En la liturgia eucarística, el compartir la copa nos hace experimentar más profundamente nuestro compartir de la alianza. Una catequesis adecuada y continua ayudará a redescubrir el sentido de la copa eucarística, como la práctica normal de distribuir la comunión en la parroquia.

La preparación para la eucaristía conlleva un profundo respeto por las especies del pan y el vino que se han consagrado, asimismo, este respeto debe extenderse a la asamblea. El diácono y los ministros de comunión ayudan al que preside a distribuir el pan y el vino en los platos y copas respectivamente. Durante este tiempo, el cantor dirige a la asamblea en el canto de otra letanía: el Cordero de Dios. El estribillo "Ten piedad de nosotros" debe cantarse una y otra vez hasta que todos los platos y copas hayan sido preparados debidamente, de tal manera que la respuesta final, al mismo tiempo que la acción, coincida en el canto "danos la paz".

1. ¿Existe alguna práctica en tu parroquia que obstaculice la apertura total de los símbolos de la plegaria eucarística, tales como la paz o la fracción del pan? ¿Cuál sería? ¿Cómo podría evitarse?

2. Dialoguen en grupo sobre cómo podría ofrecerse la copa a la asamblea sin demorarse más de lo estrictamente necesario. ¿Cuántos ministros de comunión necesitaríamos para esto?

El Cuerpo de Cristo que es la eucaristía no es una fiesta privada, un paso doble entre Jesús y yo. El Cuerpo de Cristo, que es la eucaristía, hace el Cuerpo de Cristo que es la Iglesia. Éste se parte no para satisfacer a individuos aislados, sino para construir una comunidad.

En particular, éste se fracciona por quienes están comúnmente rotos, que comparten más la crucifixión de Jesús que su resurrección. Ese cuerpo se parte y es dado incluso a aquellos que no tienen la alegría de recibirlo.

Walter Burghardt, sj

❖

Hay otra esperanza para quienes verdaderamente han reconocido al Señor Jesús en la fracción del pan y quienes han sido alimentados con el alimento eucarístico: El amor divino que es fruto de este sacramento debe hacer más posible el encontrar y reconocer a Cristo en cada ser humano, especialmente en aquellos seres humanos a los que Él llama "el más pequeño de sus hermanos y hermanas" (Mateo 25:31-46). Cuando Él venga en gloria al final de los tiempos . . . nos preguntará si lo reconocimos y servimos en el hambriento y en el sediento, en el extraño y en el desnudo, en el enfermo y en el preso, en breve, en cada ser humano que, de una u otra manera, es privado de su dignidad y de la plenitud de sus derechos humanos.

Donald Trautman

Liturgia de la Eucaristía: La comunión

Inmediatamente después de la fracción del pan, el que preside invita a la asamblea a compartir en santa comunión. Esta invitación puede ser en la manera acostumbrada o en otras palabras provenientes de la Escritura o de la tradición. Sin embargo, la invitación debe ir más allá de las palabras: en el tono de voz, en los ojos, en la postura y en los demás gestos. Es por eso que el que preside mantiene en alto el plato y la copa mientras se dirige a la asamblea. El rito de comunión comienza una vez que se ha hecho la invitación. En este momento no debe existir una división grande o muy notable, ya sea en el tiempo o en la manera de distribuir la sagrada comunión, entre la comunión del que preside, la de otros ministros y la de la asamblea. La mejor alternativa es cuando los ministros reciben la comunión después de la asamblea.

Tenemos ministros de la comunión que ayudan al que preside porque el comer y el beber son una "comunión": la unidad es lo que se debe enfatizar, pues eso es lo que se pretende con el rito. En la medida de lo posible, debemos estar juntos en la mesa; estamos participando de una comida familiar o de un banquete formal, ése es nuestro modelo y no el de un lugar de comida rápida. Dado que la comunión bajo las dos especies se ha restaurado en la Misa Dominical, se necesita una mayor cantidad de ministros de comunión para que sintamos que en la santa comunión todos comemos y bebemos juntos alrededor de la mesa.

La forma en que nos acercamos a comulgar es un signo elocuente de lo que para nosotros significa el compartir. Esto no debe ser al estilo de un desfile militar; tampoco es un momento para que los ujieres dirijan el tráfico, ni un tipo de estampida en la cual domina el más rápido. Este momento debe ser una procesión en todo el sentido de la palabra, con un sentido de comunidad peregrina. El canto en este momento es, por lo tanto, una expresión de nuestra comunión, de nuestra unidad en Cristo. Es por esta razón que la asamblea debe tener la oportunidad de cantar antífonas que no requieran un libro u hoja de canto durante la procesión. Inclusive, la postura es un signo común que refleja el compartir. El recibir la comunión en la mano sugiere que una mano debe estar ocupada con la otra para recibir la comunión. En caso de que la gente se sienta incómoda juntando las manos de la manera tradicional, posiblemente las manos se pueden mantener en esta postura durante toda la procesión. De cualquier manera, uno mantiene una mano sobre la otra. Sin embargo, una postura demasiado casual está completamente fuera de lugar.

Respecto a la comunión de los niños, en algunos lugares se acostumbra poner la mano sobre la cabeza del niño/a que aún no ha empezado a comulgar. Este gesto sencillo, con palabras o sin palabras de saludo y bendición, habla perfectamente de lo que es la comunión.

Al presentar el pan y el vino al comulgante, es esencial que haya un momento personal, un encuentro visual al momento de decir: "el cuerpo de Cristo", "la sangre de Cristo", y el o la comulgante reafirma el encuentro: "Amén". Esto es una muestra de que la comunión se comparte de una persona a otra. No debe haber nada automático o impersonal en la palabra o gesto de una persona o a la otra. Todo el rito de comunión debe manifestar claramente que la gente está en "santa comunión", unidos en una vida santa.

Después de comer y beber, los platos y copas vuelven a ubicarse en una mesa lateral que conocemos con el nombre de credencia. El altar nuevamente está vacío. La purificación de los vasos sagrados puede hacerse después de la liturgia para lograr así un tiempo razonable de silencio y meditación, en el que nadie se mueve de un lugar a otro. La asamblea entera está sentada. La iluminación puede bajar de intensidad. La música instrumental o coral puede algunas veces servir de meditación durante este momento. Sin embargo, se necesita un espacio generoso de tiempo, un espacio que sea consistente semana tras semana. También este silencio es una expresión de comunión. Se necesita formar hábitos de oración.

El rito de comunión y la liturgia de la eucaristía concluyen con la oración después de la comunión. El silencio nos dirige a ésta, la cual es una oración breve que expresa nuestro deseo de continuar y llevar a la vida diaria lo que se ha celebrado en la eucaristía.

1. Hemos cosificado demasiado nuestra manera de vivir. Esta actitud se encuentra en nuestra vida diaria y en nuestros espacios de oración. Inclusive, tal vez hayamos cosificado la eucaristía en meros elementos de pan y vino. Pero la eucaristía no es una cosa. Es compartir, es una fracción del pan, es el compartir de una copa: es una acción. ¿Qué podemos hacer para incrementar la conciencia sobre la eucaristía como nuestra acción común?

2. La asamblea se involucra de una manera más personal en la liturgia al compartir el pan y el vino. ¿De qué manera los ministros de comunión pueden hacer del momento de la comunión un momento atesorado de gracia?

3. ¿Cuáles acciones, del rito de comunión, convergen con el sentido de reverencia y amor?

Si quieres entender el Cuerpo de Cristo, entonces escucha al apóstol en lo que se dirige a la asamblea. Ustedes son el Cuerpo de Cristo, y sus miembros; su misterio ha sido colocado en la mesa del Señor, ustedes reciben su misterio. Ustedes contestan: "Amén" a lo que son, y contestando ustedes asienten. Porque escuchan: "El Cuerpo de Cristo", y responden: "Amén". Sé un miembro del Cuerpo de Cristo de tal manera que tu "Amén" sea verdadero.

San Agustín

El ser hospitalario en cada acción litúrgica es algo crucial. Cuando ofreces la copa a una persona concreta, pienso que necesitas dársela a la gente de tal manera que sepan que esa copa les pertenece. Ésta no me pertenece. Ésta pertenece a todos nosotros y es para compartirse. De esta manera, yo debo incluir a todos por medio de la copa. Y si pienso que ellos nunca la van a recibir, se las doy. Me aseguro de que la tengan en sus manos. Yo no quiero sostener la copa por ellos. Particularmente con los niños, siempre trato de darles la copa y con frecuencia les digo: "Toma la copa".

Christina Neff

Ritos conclusivos

Nuevamente éste es un momento de transición: de la oración comunitaria a nuestra vida individual. Una vez que ha terminado la oración después de la comunión, hay un sentido de conclusión. Es un rito de despedida y envío. En nuestras relaciones interpersonales contamos con rituales para cuando nos despedimos de nuestros amigos: un abrazo, un saludo, alguna fórmula hablada: "cuídate mucho", "pórtate bien", "cógela suave", "nos vemos pronto". Estas son maneras cómodas por medio de las cuales ritualizamos nuestras despedidas, adoptando maneras familiares para expresarnos. Hay grupos mayoritarios que tienen rituales para los mismos propósitos. Éstos mezclan lo formal e informal, y contienen mucho de lo que ha ocurrido durante la reunión.

Al término de la Misa, el rito de la despedida y envío usualmente consiste en anuncios, la bendición, la despedida y envío, un canto y la procesión. Es muy importante ver todos estos elementos como una unidad a la luz de su razón de ser, es decir, dejar un buen sabor del tiempo juntos y crear el deseo de reunirse nuevamente. Si la liturgia ha sido una buena experiencia de oración comunitaria, pero los ritos de conclusión no se han realizado de una buena forma, esto hace disminuir la fuerza del rito. Esto puede ocurrir por la aglomeración de anuncios y la falta de distinción entre las diferentes partes del rito.

Los anuncios deben ser breves. Son como la bienvenida antes del comienzo de la liturgia, son parte de la hospitalidad: compartir información sobre la comunidad en una manera informal y acogedora. El que preside, no debe hacer los anuncios pues ha dicho la oración y luego hará la bendición. Debe hacerlos quien ha dado la bienvenida o alguien que represente las actividades ordinarias de la comunidad. El último anuncio debe invitar a la comunidad a cantar el canto de despedida si es que lo hubiese.

La bendición es el corazón del rito de conclusión. Ahora el ritual provee muchas fórmulas, y todas ellas pueden dirigirse al desenlace común: "Que el Señor Dios todopoderoso los bendiga . . . ". Esta forma también puede usarse de manera independiente. Es importante notar otros gestos importantes: la elevación de las manos durante la bendición, la reverencia y la señal de la cruz durante las palabras que terminan la bendición. La asamblea responde: "Amén", a las tres partes que preceden la bendición solemne, si es que ésta fuese una bendición solemne. Las respuestas del "Amén" necesitan ser parte habitual y fuerte del rito de bendición, tienen que decirse con fuerza y decisión. El canto o una proclamación de la bendición puede evocar una respuesta más decidida en el "Amén" de la asamblea. Las palabras de las distintas bendiciones de la Misa, si algunas de ellas se usan consistentemente, pueden sugerir a los fieles formas de bendición fuera de la Misa: la bendición de los hijos por la noche, a alguien que va a salir de viaje, o a alguien que está enfermo.

La despedida y envío es dada por el diácono, así como también otras instrucciones prácticas durante la liturgia. Estas palabras pueden variar, pero siempre deben pronunciarse de tal manera que la respuesta por parte de la asamblea sea fácil y cómoda: "Demos gracias a Dios". La fuerza de las palabras y la forma de pronunciarlas, junto con una buena conclusión, harán que esta respuesta final de la asamblea sea clara, fuerte y consistente.

En lo que resta de este rito no hay un formato definido. En la mayoría de los lugares hay un himno y procesión de despedida, ésta toma lugar en medio de la asamblea. Otra forma de hacerlo puede ser el cantar la bendición, teniendo como respuesta un "Amén" fuerte y contundente, sintiéndolo como parte final, y concluir que eso es justamente la despedida: saludándose y respondiéndose en el mismo momento, tal vez con algo de música instrumental.

Otra manera de hacerlo puede ser el unir de alguna manera el rito de conclusión con el rito de entrada, como lo hacía el canto gregoriano cuando el *Ite Missa est* era cantado con la misma melodía del *Kirie*. Esto puede hacerse durante los tiempos litúrgicos, combinando el rito de despedida con el rito de entrada, de tal forma que se enfatice el tiempo litúrgico que se celebra. Para esto, se puede repetir el canto o cantos de entrada, o el silencio, cuando es apropiado, para acompañar la procesión de los ministros. Los ministros, especialmente los ujieres, aun en este momento son los responsables de la hospitalidad. Esto lo pueden hacer por medio de la visita a algunos de los miembros de la asamblea, por la despedida que se les da en la puerta de la iglesia o la sonrisa que se les ofrece al entregarles el boletín parroquia. La última impresión será la que recuerden por más tiempo.

1. Nuestros ritos tienen una conclusión. Nos preocupamos sobre la manera en que terminamos una cosa e iniciamos algo nuevo. ¿Cómo expresamos este cuidado en las fiestas de bodas, funerales, fiestas de retiro y despedida, graduaciones escolares y cumpleaños? ¿Nuestra conclusión a la eucaristía merece menos cuidado que esto? ¿Qué podemos hacer para que nuestro rito de despedida sea mejor?

2. ¿Cuando terminan los anuncios, dentro del rito de la comunión y antes de la oración después de la comunión, o como parte del rito de conclusión? ¿Cómo se llevan a cabo los anuncios en tu parroquia?

3. ¿Cómo cambia el ambiente del momento después de la comunión al momento de la bendición y despedida?

Nuestro problema es cómo vamos a vivir lo que oramos, cómo hacer de nuestra vida un comentario diario en nuestro libro de oración, cómo vivir en consonancia con lo que prometemos, cómo mantener la fe en la visión que pronunciamos.

Abraham Joshua Heschel

❖

La comunidad que celebra la eucaristía en la perspectiva del Reino se debe preguntar a sí misma si el compartir en la eucaristía se refleja en un compartimento justo de los dones de la tierra, o si a algunos se les priva de los medios de vida porque otros amontonan los bienes del mundo para su propia ventaja. La participación eucarística nos debe llevar a una nueva visión social, después a una crítica de nuestra sociedad actual a la luz de esta visión, y finalmente a una intercesión por los miembros pobres y desamparados de la sociedad y una búsqueda del cambio social. La comunidad reunida alrededor de la mesa del Señor debe estar preparada para tener su vida entera en el mundo colocado bajo el juicio y la gracia.

William R. Crockett

Días y estaciones

El dar un vistazo rápido al Año Litúrgico de la Iglesia puede parecernos algo complejo, con sus estaciones de alegría y anticipación; sus domingos, días santos, fiestas y solemnidades; sus ornamentos coloridos, así como sus decoraciones.

En esta unidad encontrarás una introducción a cada uno de los elementos del Año Litúrgico de la Iglesia para ayudarte a descubrir la esencia y el espíritu que cada estación nos pide que mantengamos. Las introducciones te ayudarán a apreciar las lecturas que se proclaman en la liturgia dominical durante el tiempo litúrgico correspondiente, los cantos propios y las oraciones que se recitan y cantan. Las estaciones litúrgicas y las fiestas del Año Litúrgico son elementales para la planeación de la liturgia, asimismo en la vida familiar y parroquial, pues nos ayudan a formar nuestra oración y nuestra vida diaria.

Nombrando los días

En todo tipo de grupos sociales se nombran ciertos días para celebrar: el día de la Independencia, el día del Presidente, el día de San Juan, de San Fermín, el día de la Virgen de Guadalupe. Quienes tienen un afecto especial por la música clásica celebrarán el nacimiento de Beethoven. Los matrimonios celebran su aniversario. Por experiencia común, separamos días especiales de los días ordinarios de nuestra vida dándoles un ritmo especial y cierta anticipación: "¿Cuántos días faltan para . . . ?". La celebración de algunos de nuestros días dura sólo 24 horas, aunque en otras ocasiones se extiende a toda una temporada: un fin de semana para el día de Acción de Gracias, o una larga espera antes del tiempo de Navidad.

La intención de marcar ciertos días es observarlos y celebrarlos. *Guardamos* estos días "¿Cómo vas a guardar la Cuaresma este año?" "No te olvides de guardar el *Shabbat*" y los mantenemos como un conjunto de memorias que necesitan recordarse una y otra vez como acontecimientos que han marcado la historia de nuestra vida. De la misma manera se recuerda un aniversario de boda, el día de la Independencia u otra fecha especial para nosotros. Guardamos estos días permitiendo que la memoria de ellos nos lleve a observarlos, con los pequeños ritos que cada uno de ellos posee o con la manera tradicional en la que acostumbramos celebrarlos: los cumpleaños con el pastel y la canción de las "Mañanitas" o el "Feliz Cumpleaños", el día de la Independencia con los juegos pirotécnicos, etc. Por medio de esto, guardamos los días y *¡los días nos guardan a nosotros!* Eso es lo que sucede en un aniversario de bodas: recordamos el día, el presente lo vivimos con detalles especiales, y esto nos dice quiénes somos y nos permite seguir siendo nosotros mismos. De igual manera, celebramos el día de la Independencia con desfiles, música, juegos pirotécnicos, concursos, etc. Por medio de estas acciones nos recreamos como un pueblo libre. O como en tiempos pasados (y posiblemente ahora también), los católicos guardábamos los viernes de cada año de no comer carne. De alguna manera, la solidaridad en esta forma de observar los días especiales nos da un sentido de pertenencia a la Iglesia, a la vez que nos identifica con los demás.

Básicamente en ese tipo de comunidad consiste lo que es el nombrar y guardar los días y estaciones del año. Los tiempos que se marcan van más allá de los textos, credos, e incluso de las definiciones y convicciones morales, pues reúnen en torno a sí todo lo que corresponde a la vida comunitaria en maneras que lo hacen muy personal y, aun así, es posible compartirlos. Las estaciones y los días que separamos y nombramos de manera especial nos permiten tomar lo que significa ser cristiano y expresarlo por medio de cantos, relatos, historias, danzas, colores, juegos, texturas y muchas cosas más. Hacer esto, y volverlo a hacer en el transcurso de los años, es la manera en que un pueblo transmite su fe de una generación a otra. Sin embargo, esto sólo puede suceder de manera concreta en un pueblo, no de manera abstracta. Las historias que contamos, y los demás ritos de las estaciones litúrgicas, son lo suficientemente abiertos, fuertes y consistentes, de tal manera que permanecen fuertes año tras año y no se agotan las posibilidades y maneras de expresarlos.

Ése es el punto. Son mis historias, nuestras historias. Hablan de mí, de mi vida, de nosotros, de nuestra vida como Iglesia. Lo mismo puede decirse de los cantos, ritos y estaciones: su fuerza no reside en la información que transmiten y a la que podemos acercarnos en cualquier momento para estudiarlos e incluso adaptarlos. Más que eso, están dentro de nosotros mismos, y la tarea de quienes nos ayudarán a celebrar el Adviento y el Día de Todos los Santos es estar en comunicación con el interior de las personas que participarán en la celebración de este día o estación litúrgica. Las celebraciones y los tiempos litúrgicos no son trucos o ganchos que nos unen a las historias de Jesús o de los santos; son mucho más que eso. Necesitamos nombrar los días y guardarlos, pues nos ayudan a recordar lo que somos como personas y como Iglesia.

El primer día que nombramos es el domingo. Guardamos este día participando en la Misa como comunidad, de manera que hacemos de él "un día del Reino", un día de la nueva creación y de la liberacíon de la esclavitud del pecado y de la muerte. Al domingo le llamamos el octavo día, el día que está más allá de nuestro ciclo temporal. Se le llama el Día del Señor; de esta forma, se ubica como el primer día de nuestro calendario, marcando el ritmo de nuestra vida con la proclamación de la Palabra y la fracción del pan.

Muchos domingos caen en el tiempo de Adviento, Navidad, Cuaresma y Pascua; en estas ocasiones, la liturgia dominical toma el espíritu del tiempo o estación litúrgica que se celebra, sin embargo, las estaciones litúrgicas son más grandes que el mismo domingo, y aun así, se buscan otras formas de mantener el espíritu de las estaciones más allá de la liturgia eucarística. La estación litúrgica tiene su propio espíritu: lo encontramos en las historias y palabras que captan parte de este espíritu, en sonidos que nos conectan con él, en los gestos y movimientos, así como en el uso que hacemos de los colores y los materiales. Nunca agotaremos o entenderemos totalmente el espíritu de una estación, por ejemplo del Adviento, diciendo que es exactamente esto o aquello. Solamente podemos hablar de él en forma poética, porque esto es lo más cercano a nosotros para entender todo lo demás.

1. La observancia de los días festivos, fiestas y estaciones nos ayuda a mantener un ritmo necesario y vital en nuestra vida. Necesitamos de estos días especiales para salir de lo ordinario de nuestra vida. Los días festivos, fiestas y estaciones no son para producir cosas o lograr ciertas metas. Son días para disfrutarse, para recordar, para entrar en conexión con nuestra historia, nuestras relaciones y nuestra tradición de fe. Nos dirigen a un sentido más profundo de lo que somos y hacia dónde vamos, no de una manera intelectual o académica, sino de una manera que permite que celebre todo nuestro ser. Para ti, ¿Cuáles son estos días? ¿Cómo celebras?

2. "Guardando el día": ¡Esta frase parece dar libertad y pertenencia a la vez! ¿Qué día podrías nombrar para guardar en los siguientes meses? ¿Qué rituales prepararás en anticipación a esta fecha? ¿Alguien ha guardado este día antes que tú? ¿Qué tan "largo" es este día? ¿24 horas? ¿Siete días? ¿Qué historias rodearán esta celebración?

La santa Iglesia celebra la memoria sagrada de la obra de salvación realizada por Cristo y lo hace en días determinados durante el transcurso del año. El domingo de cada semana, llamado con razón "día del Señor", rememora la resurrección del Señor, memoria que vuelve a celebrar una vez al año en la máxima solemnidad de la Pascua, juntamente con su santa Pasión, mientras que durante todo el año despliega la totalidad del misterio de Cristo y conmemora las fechas de nacimiento de los santos.

Además, en los diversos tiempos del año litúrgico, la Iglesia, de acuerdo con las observancias tradicionales, instruye a los fieles por medio de los ejercicios piadosos del alma y del cuerpo, del adoctrinamiento, de la oración y de las obras de penitencia y de misericordia.

Normas Universales sobre el Año Litúrgico y sobre el Calendario, *1*

Adviento

Desde tiempos antiguos, el hemisferio norte acostumbra celebrar ritos especiales alrededor de los días más fríos y cortos del año. Es el encuentro de dos elementos muy humanos: temor y promesa. Para algunos es simplemente el temor al frío y la oscuridad, realidades que gracias a la tecnología hemos podido sobrellevarlas, y aun así se les teme. Junto a esto estaba el temor a no tener suficiente alimento almacenado para pasar el invierno, el tiempo de la siembra y de la nueva cosecha. La esperanza que aparece en este tiempo, con frecuencia se ve reflejada en la figura del sol, que poco a poco alarga los días y promete que vendrán días mejores. Los cristianos, al poner la celebración del nacimiento de Jesús y su manifestación alrededor del solsticio de invierno, lo hicieron como algo natural. La anticipación y celebración de esos eventos (nacimiento y manifestación), eran nuestra manera de expresar lo que el temor y las promesas significan para la Iglesia.

Esto es más que una buena plática. La intención de los días que conocemos ahora como Adviento nunca fue solamente la de enseñar algo sobre la venida de Cristo en el pasado, presente y futuro. Estos días son la expresión del Adviento dentro de cada uno de nosotros, incluyendo los temores que cada uno lleva dentro de sí. Nuestros miedos no están conectados con ninguna estación del año en particular; el tener miedo siempre ha sido parte de nuestra condición humana, ahora quizá más que nunca. Estos temores son privados, familiares, comunitarios. De alguna manera, lo que hacemos en Adviento, las historias que contamos, las canciones, las costumbres que se observan, son una forma de reconocer nuestros temores. Admitámoslo. Más aun, el guardar el espíritu de Adviento reúne el miedo con la promesa, no en el mismo sentido histórico de anunciar la venida de Jesús, que ya ha venido, sino en el sentido de manifestar que ser Iglesia es una respuesta a la promesa de Dios y, de alguna manera, es también una promesa al Señor y a cada uno de nosotros.

Probablemente, esto dice un poco acerca del sentimiento que poseen estos días anteriores a la Navidad. Sin embargo, buscando dentro de nosotros y en una manera más efectiva de entrar en lo que es el Adviento, de sentirnos en casa dentro de él, es buscarlo dentro de nosotros y en los textos de la Escritura que se proclaman durante este tiempo, la música y los colores que utilizamos para la liturgia. Un buen inicio puede ser la búsqueda de palabras clave en las lecturas que corresponden a los domingos de Adviento y a los días de la semana. ¿Qué palabras nos introducen en el ambiente? Cada lista será diferente y la que sigue es sólo un ejemplo: salto, canta, estar con el niño, florecer, estar despierto, estar tranquilo, espera, beso, presentar, caminar, abrirse, llenarse, hacerse pequeño, ser fuerte, estar abierto, ser limpio, arder, rescatar, caminar, esperar.

Ésas son imágenes fuertes. ¿Cómo se expresan en las siguientes frases? "¡Ven, ven, Señor, no tardes!", "Despierta", "Alégrate" u otra de las antífonas que presenta la Liturgia de las Horas. ¿Cuáles son las imágenes que se forman en nuestra mente cuando las decimos o cantamos dentro o fuera de la iglesia? En cualquier tipo de música se puede expresar que el espíritu del Adviento está en el compositor o en el músico. ¿Qué tipo de instrumentos musicales nos transportan a las imágenes del Adviento? ¿O a qué historias sagradas o seculares refieren tales imágenes? Sí, historias de la Escritura, pero también de los periódicos, las novelas, las películas. ¿Qué personajes encarnan algo de lo que es el Adviento?

Si el Adviento tiene sus palabras e imágenes, su música (y otros sonidos) y sus historias, también tiene sus colores, diseños y texturas. ¿Estos colores se mezclan en armonía o contrastan severamente durante el Adviento? Inclusive, el Adviento tiene sus propios sabores. ¿Cuáles son los sabores que nuestra cultura une a este tiempo de celebración? Es muy normal que tengan diferentes nombres, pero al compartirlos nos permiten construir un sentido común respecto a lo que esta temporada significa para cada uno de nosotros y la manera en que la hemos celebramos.

Como cristianos no siempre compartimos nuestros deseos, nuestras esperanzas o la oscuridad que hemos experimentado dentro de nosotros mismos una y otra vez. Tal vez consideramos que esos sentimientos sólo nos pasan a nosotros o que no son el tipo de sentimientos que debemos compartir con los demás. Sin embargo, constituyen la experiencia común en la cual celebramos el Adviento. En última instancia, toda la espera de nuestra vida nos guía hacia el Señor.

Durante las semanas de Adviento, la liturgia permite que nuestros deseos y esperanzas modelen nuestra oración. Esto se hace con una gran simplicidad, de manera que se escuchen las palabras, la música se sienta y los colores se vean de manera consistente semana a semana; así el Adviento va tomando forma en la comunidad que se reúne. Se entretejen las palabras y las melodías, los colores y las historias, formando juntos la totalidad que expresa la llegada de un tiempo nuevo que nos hace sentir en casa año tras año.

1. Busca en las Escrituras y en la música de Adviento y deja que tu persona se impregne de las palabras. Haz una lista de estas frases y palabras. Medita en ellas por algún tiempo y compártelas con los demás miembros del grupo.

2. ¿Cuál ha sido la disposición interna que has mantenido en tu vida durante el tiempo de Adviento? ¿De qué manera se configura la celebración parroquial del Adviento? ¿Qué tipo de vino para la eucaristía nos ayudará en la observación del Adviento?

3. ¿Qué perderíamos si eliminamos el Adviento de nuestro calendario litúrgico?

4. ¿Cómo perseveramos en el sentido verdadero del Adviento en la parroquia, el hogar y la rapidez de nuestras fiestas cristianas y el consumismo que las acompaña?

Guadalupe representa la fiesta del Adviento y la Pascua.

Aparece al inicio del cristianismo en América y se convierte así en una fiesta de Adviento. Como en Belén, en el Tepeyac trae a Cristo a nuestra tierra americana, al nuevo mundo. De igual manera, es una fiesta pascual, porque su aparición tiene que ver con la resurrección de un pueblo que en aquel momento había sufrido una crucifixión colectiva.

Virgilio Elizondo

❖

Nosotros seguimos esperándote, Señor, apasionadamente. Y es que sabemos, que allá, en el fondo de nuestros corazones se sigue alzando la misma gran voz de la esperanza de los primeros cristianos: *Marana tha,* es decir, ven, Señor Jesús.

Porque sabemos que tú vendrás, estás viniendo. O quizá no te has ido. Estás detrás del velo de nuestra ciega mediocridad. Quizá basten sólo unos céntimos de fe para comprobar que tú estás con nosotros.

José Luis Martín Descalzo

Navidad

El punto central del tiempo de Navidad es el Nacimiento de Cristo, aunque es más que un simple nacimiento: La Palabra se hace carne y habita entre nosotros. Pero antes de que consideremos ese punto, reflexionemos en lo que significa para nosotros el nacimiento por sí mismo. Antes de maravillarnos ante la encarnación, debemos detenernos y darnos cuenta de lo maravilloso que es un nacimiento, el hecho de cortar el cordón umbilical, el grito personal ante la vida, un grito muy particular.

Los nacimientos llenan nuestro folklore. Incluso nuestros ancestros, que estuvieron más cercanos a esas cosas de lo que estamos nosotros, nunca pudieron agotar todo lo maravilloso que es este acontecimiento, este evento que une generaciones, que todo lo cambia; este acontecimiento nos promete un futuro y a la vez nos remonta al pasado. Porque la delicia y la alegría siempre guardan en sí un poco de miedo: lo nuevo siempre hace eso a los seres humanos y a las sociedades. Herodes representa la parte de nosotros que ve en cada nacimiento una cercanía con nuestra muerte. Posiblemente el misterio, la alegría y las canciones inspiradas por el nacimiento no serían tan grandes sin ese lado oscuro.

Hay historias maravillosas de nacimientos que, sin querer, forman parte de nuestra vida; aparecen en cuentos de hadas, en mitos y también en nuestras historias de las Escrituras hebreas: la risa y alegría de Sara, la esposa de Abraham, resuena en los miles de nacimientos en todos los pueblos de la tierra. En el nacimiento de Cristo hay algo más que capta nuestra atención. Este elemento es la encarnación, que hace del 25 de diciembre la fecha precisa para celebrarlo. Después de todo, el nacimiento normalmente es un evento de la primavera, de esta manera el recién nacido puede crecer fuerte antes de que el frío y el hambre lleguen nuevamente. Pero el nacimiento de Jesús es algo diferente: un nacimiento en medio del frío invierno, nacido bajo un sol débil.

Lo primero que la liturgia debe hacer es lograr capturar el corazón de la comunidad con el recuento de la historia. Es una historia de, "érase una vez", una historia más auténtica que los hechos. Hay algo en nosotros que nos emociona profundamente al escuchar el relato de un nacimiento y nos convence de manera absoluta que sólo tiene

sentido porque Dios se ha hecho parte de nuestro barro, porque ha asumido nuestra condición humana. Al ser capturados por esta experiencia, inmersos en ella, nos damos cuenta de que la oración de Navidad que emerge de esta historia no empieza con explicaciones o teología en cuanto tal, sino a través de las artes y experiencias humanas que tocan la historia de nuestra vida y sus abundantes maravillas.

La Navidad, como estación litúrgica, puede ser vista como una causa perdida. ¿Qué energía puede quedarnos después de todos los preparativos consumistas que anteceden al Nacimiento de Jesús? Aun así, contando nuevamente la historia, hay suficientes elementos festivos que nos llevan a la fiesta del Año Nuevo y a la Epifanía del Señor. Competimos con el mundo cuando decidimos esperar durante el Adviento, cuando decimos que aún no se puede escuchar la historia completa o que no podemos cantar las canciones navideñas, ni utilizar los colores navideños, a menos que estemos dispuestos a esperar. Una vez que esto se hace, extender la fiesta durante toda la estación es fácil. Ordinariamente existen cinco ocasiones para reunirse durante este tiempo: Navidad, La Sagrada Familia, Año Nuevo, Epifanía y El Bautismo del Señor. La liturgia de estos días puede tener algo de consistencia mientras que la Escritura y la homilía dan a cada fecha su tono particular.

Las tradiciones locales pueden llevar consigo ciertos aspectos de la Navidad, por ejemplo, en el lugar que se escoja para poner el pesebre, quién canta en la Misa de Medianoche, dónde se colocan las flores, etc. La hospitalidad debe ser algo más evidente durante las Misas de Navidad que durante el resto del año. Lo que ha requerido bastante trabajo de preparación será lo mismo que permitirá un goce exquisito de los días que siguen. Algunos de los cantos pueden mantenerse hasta la Epifanía del Señor, y lo mismo aplica para algunas flores y fragancias especiales que van con el incienso. Las imágenes que forman parte de este tiempo, una a una van desarrollando, aunque no de manera total, los momentos de la historia del nacimiento y la manifestación de Jesús. Durante los doce días de la Navidad se asocian varias costumbres culturales a ella, así como también a la Epifanía. Pastoralmente hablando, es muy positivo que nos acerquemos a estas tradiciones, que probablemente tomen lugar también en nuestra parroquia.

La celebración es poética; no está ligada a un entendimiento literal de la secuencia de eventos, sino danzando alrededor de ellos, mezclándose con ellos, tocando cada unos de ellos en lo que va más allá de lo meramente racional. El pesebre, los Magos y los regalos de oro, todos están mezclados con el agua que se transforma en vino y con Jesús que entra en el Jordán junto a Juan. Nadie puede explicar completamente qué es lo que ocurre aquí, y nosotros tampoco tenemos que hacerlo.

1. Inicia con una lista de palabras de la liturgia y la cultura popular que describan el espíritu de la Navidad: nacimiento, heno, portal, piñatas, posadas, pollos, parrandas, luces, cometas, historias, etc. ¡Manos a la obra!

2. La Navidad es una fiesta en la que todos regresamos a casa. Para los antiguos parroquianos, los universitarios, inclusive personas que no asisten con frecuencia a las celebraciones litúrgicas, ese día vienen para celebrar la Navidad. ¿Cómo podemos dar la bienvenida a estas personas que regresan a casa o que vienen por primera vez?

3. Algunas parroquias preparan grandiosamente la liturgia para la noche de Navidad, y parece que la celebración de la Sagrada Familia, María, Madre de Dios y la Epifanía del Señor pasan sin pena ni gloria. ¿De qué manera estos días pueden observarse solemne y gozosamente?

4. ¿De qué manera se extiende la celebración de la Navidad en las prácticas populares, como el Acostamiento del Niño, el arrullo, los nacimientos, las parrandas, los pollos, los asaltos, las posadas y otras actividades que forman parte de la cultura?

A esa alegría serena yo invito que vivamos todos
la Navidad. . . . Alegría de profundidad
es lo que yo quisiera para todos los que estamos
haciendo esta reflexión. Alegría en medio
de la tristeza, del terror, de la angustia, de nuestra
historia; sin embargo, en el fondo hay
una gran esperanza: Has venido Señor y te
encontramos, nuestra fe confía en Tí y sabemos que
vienes a salvarnos y que, cuanto más negra
se pone la noche y más cerrados los horizontes,
Tú serás más redentor.

Oscar A. Romero

Es un Cristo adulto el que la comunidad encuentra
durante los domingos y fiestas que conforman
el ciclo de Adviento y Navidad: el Señor resucitado que
invita a los pecadores a ser Iglesia. La Navidad no
pretende, ni nos pide que regresemos a Belén , y que
nos arrodillemos ante un pesebre; nos pide que
reconozcamos que el árbol del pesebre se convierte
en el árbol de la cruz.

Nathan Mitchell

Cuaresma

El tiempo de Cuaresma se desarrolla en preparación para la Pascua, y con mayor precisión todavía, durante los días de preparación para los catecúmenos que serán inmersos en la plenitud de la vida comunitaria cristiana. Con el tiempo, la observación de los cuarenta días se transformó en una práctica común de la comunidad entera junto con los que entrarían en ella y los que volvían a la fe. Aunque no hubiera catecúmenos preparándose para el bautismo, la Cuaresma permanecía como tiempo de renovación bautismal: se invitaba a que todos escucharan atentamente el Evangelio, tomándolo con gran seriedad, y a experimentar la muerte y la resurrección, esenciales en la vida bautismal.

La Cuaresma es un tiempo intenso. Inicia con una acción rígida que sigue hablando a la gente de hoy: la señal de la cruz hecha con ceniza. En esta época del año, la ceniza es signo de transición; es una imagen común de todos los seres vivientes: el final de todo, el comienzo de todo. El Miércoles de Ceniza, mientras la vida renueva todo, los ministros marcan a los cristianos en la frente con cenizas, a la vez que ellos son marcados por otros ministros. Durante este tiempo se hacen añicos las pretensiones a fin de llegar a lo esencial de nuestra vida, permitiendo que las fachadas que a menudo tenemos se desmoronen y resurja así la esencia de nuestra vida cristiana. La liturgia del Miércoles de Ceniza está centrada en la 'imposición' de la ceniza: esta acción se acompaña con lecturas de la Escritura, canto de los salmos y otros cantos tradicionales.

Las Escrituras dominicales que corresponden al tiempo de Cuaresma, especialmente las del Año A, se construyen una sobre otra; podríamos decir que son lecturas en serie. Las lecturas del Evangelio pueden verse como el Evangelio de Cuaresma, una historia que se proclama durante este tiempo litúrgico como una totalidad. Como siempre, la lectura habla sobre nosotros, sobre nuestra vida; es nuestra historia, como personas y como Iglesia. Los Evangelios pueden ser el punto de partida para descubrir cómo se modela la liturgia durante este tiempo. ¿Cómo se percibe la Cuaresma? ¿Cuáles son sus ritmos, tradiciones y tiempo? ¿Cuál es la pauta? ¿Dónde está el silencio? Preguntas similares a éstas deben hacerse en referencia a cualquier elemento que deseemos utilizar para la implementación de la liturgia. ¿De qué forma nos ayudan todos estos elementos para mantener en nuestra vida, nuestro hogar y nuestra Iglesia el espíritu de la Cuaresma?

Hoy, más que antes, la Cuaresma se marca por la presencia de los catecúmenos en nuestras parroquias durante la Liturgia de la Palabra, en los ritos de elección (la última fase de preparación antes del Bautismo) y las oraciones especiales en algunos domingos de Cuaresma, que son testimonio de la cercanía del Bautismo. En estos ritos, los catecúmenos solo están presentes hasta antes de la Liturgia de la Eucaristía, momento en el cual dejan la asamblea para reunirse en otro lugar para la oración, la instrucción y la reflexión de las Escrituras. Éste es un signo fuerte y contundente de lo que significa la iniciación en la Iglesia: unirse a los bautizados en la Eucaristía y compartir la santa comunión. Durante este tiempo, la presencia de los catecúmenos en medio de la asamblea es el elemento que más nos ayuda en nuestra renovación como personas y como Iglesia. ¿Puede haber mejores testigos para los bautizados de la fe que ellos profesan? ¿Qué otro elemento puede emitir una declaración tan contundente de lo que significa ser Iglesia? La presencia de los que buscan una pertenencia total a la Iglesia nos lleva a quienes ya pertenecemos totalmente a ella a guardar plenamente el sentido de la Cuaresma.

Las liturgias dominicales de la Cuaresma necesitan consistencia en los cantos, colores y en la pauta que une estas seis semanas en una sola estación. Estos elementos de la liturgia, hacen claro y sin necesidad de expresarlo con palabras que "esta Cuaresma es nuestra Cuaresma". Esto se manifiesta en la manera en que se realiza el rito: en la manera en que éste se distingue del Tiempo Ordinario y otras estaciones del Año Litúrgico, no sólo en los elementos que son obvios, sino también en la letra de los cantos, en el uso del silencio, en el uso de los elementos que utilizamos para la procesión, en la duración y solemnidad del rito penitencial. De igual manera, en la Cuaresma es necesario utilizar una respuesta al salmo que corresponda a este tiempo litúrgico y buscar que esta misma respuesta se mantenga durante toda la Cuaresma. Dígase lo mismo de las aclamaciones especiales del Evangelio, en la bendición final, en la forma de realizar el rito de despedida, en el menor uso de colores en la iglesia, en la ausencia de muebles innecesarios y en la dramatización de las lecturas de la Escritura. Cuando toda la estación litúrgica mantiene este tipo de unidad, permitiendo que los rituales (las lecturas y los escrutinios de los candidatos para el Bautismo) se hagan familiares para cada miembro de la asamblea, entonces los ritos adquieren un carácter único cada semana. Estos ritos encuentran un lugar bien preparado para realizar la función deseada y que en justicia les pertenece.

La Cuaresma no se queda en el altar: ésta encuentra su plenitud en la parroquia entera. Se refleja en nuestros hogares y en nuestra manera de pensar y actuar. Esto requiere la cooperación de cada persona. Se presume la necesidad de una disciplina personal y comunitaria. Esto significa que eventualmente dejaremos de hacer algunas cosas que ordinariamente toman parte de nuestro tiempo, de tal manera que gocemos de libertad y tiempo para dar la bienvenida a los candidatos para el Bautismo y recibirlos en una plena comunión con la Iglesia, y a la vez renovar nuestra propia vocación bautismal.

1. Durante la Cuaresma, tanto el Misal Romano como el Leccionario nos ofrecen el camino espiritual de la Iglesia que nos dirige a la profundidad del Misterio Pascual de Cristo para descubrir lo que significa el ser bautizados en Cristo, rescatados del pecado, pertenecer a la Iglesia. Cualquier cosa que divida nuestra atención, lo único que hará será debilitar nuestra Cuaresma. ¿De qué manera responde tu parroquia a esta realidad?

2. ¿Tu parroquia se apoya en algunos recursos impresos que ayudan a celebrar la Cuaresma?

3. ¿Cambia la ambientación de manera notable durante la Cuaresma, incluso en los pequeños detalles como el tener un vino diferente durante este tiempo?

4. ¿Qué recuerdos tienes de la manera en que tus padres celebraban la Cuaresma en el pasado? ¿De qué manera definen estos recuerdos tu experiencia y vivencia de la Cuaresma? ¿Qué nos pueden enseñar estas memorias para vivir el presente?

En la Cuaresma se celebra el sufrimiento y la penitencia de un Dios inocente. En la Pasión de Jesucristo, en su sufrimiento, se reconoce la solidaridad de un Dios que entiende nuestro propio sufrimiento, porque también ha sufrido.

Por otra parte, la experiencia del sufrimiento histórico de nuestros pueblos es otro elemento que marca esta estación litúrgica con la penitencia y la sobriedad. La Cuaresma presenta una oportunidad de acercar de manera opuesta las experiencias y anhelos de un pueblo sufriente, desposeído y dominado, que al mismo tiempo no se resigna y sigue resistiendo, sobreviviendo siempre con la esperanza de un nuevo cambio, de una nueva vida. Por lo tanto, sus símbolos van a ser muy concretos y, a través de nuestros sentidos, trascenderán la profundidad inmensa de verdades como la fragilidad humana y la posibilidad del perdón; el sufrimiento y la solidaridad divina; la penitencia y la esperanza salvadora de Dios.

Juan José Huitrado Rizo

El Triduo Pascual

La palabra *Triduo,* tres días, se refiere al lapso que abarca desde la liturgia de la tarde del Jueves Santo hasta la oración de la tarde del Domingo de Pascua. El documento *Normas Universales sobre el Año y el Calendario Litúrgico* comprueba esta duración e importancia: "el Triduo sagrado de Pascua, es decir, de la Pasión y la Resurrección del Señor, es el punto culminante de todo el Año Litúrgico" (18), "El Triduo Pascual de la Pasión y de la Resurrección del Señor comienza con la Misa vespertina del Jueves Santo o de la Cena del Señor, tiene su centro en la Vigilia pascual y se acaba con las vísperas del domingo de Resurrección" (19). El énfasis se da en la unidad total de estos tres días, en no separar la muerte de la resurrección. Desde los primeros años, la Iglesia nunca ha hablado de uno sin referencia directa al otro. El Triduo es una sola celebración.

Esto significa que las representaciones del Jueves Santo, del Viernes Santo y del Sábado Santo, literalmente hablando, no son exactas, sino que la liturgia de estos días enfatiza que hablar de la muerte de Jesús es hablar de su resurrección. El Triduo nos brinda la mejor oportunidad de practicar los gestos más importantes en la iniciación de los nuevos cristianos: ayuno, oración, bautismo, confirmación y eucaristía. El Triduo se mantiene como una Pascua anual para la comunidad entera, para todos aquellos cuya existencia se define por los mismos sacramentos. La Iglesia celebra y guarda el espíritu del Triduo.

El lazo que existe entre la Pascua judía y la experiencia cristiana de morir y resucitar con Cristo no es solamente el hecho que nos cuentan los Evangelios de que la pasión, muerte y resurrección de Cristo tomaron lugar durante la celebración de la Pascua. Es algo más: los primeros seguidores de Jesús se reunían por su propio deseo de mantener viva su noción y experiencia de la Pascua, dar nombre a las experiencias que les ocurrieron con Jesús. Ésta fue la fiesta de la Pascua entendida como una realidad presente ("Él no hizo esto sólo por nuestros ancestros, sino también por nosotros"), que hace posible entender como una realidad presente en la Iglesia lo que Jesús hizo por nosotros. Esta Pascua era un memorial y dedicación a la libertad y esto les dio a los primeros discípulos una manera singular de hablar de lo sucedido a Jesús y ahora en la Iglesia. Esto

fue la Pascua, como un "todavía no", en lo que esperamos una liberación final, que mantiene la Pascua humana de la Iglesia.

La fuerza de la liturgia del Jueves Santo radica en la particularidad de sus gestos, estos mismos nos sumergen en la memoria y esperanza de lo que significa morir y resucitar con Cristo. El gesto de lavar los pies, en su manera propia y fuerte, nos llama a hacer lo mismo, buscando que también eso suceda con nosotros, las pequeñas maneras en que morimos y resucitamos al lavar y ser lavados. Este gesto manifiesta lo que significa la "Pascua", lo que significa ser Iglesia. La liturgia de esta noche no necesita añadiduras, habla por sí misma.

La práctica de guardar el Triduo, desde este momento hasta la liturgia de la Vigilia Pascual, está marcada por una cantidad de ritos y oraciones, tales como los servicios litúrgicos del Viernes Santo, juntamente con las devociones populares; pero lo fundamental es el ritual del ayuno. "El Viernes Santo o Feria de la Pasión del Señor, y allí donde parece oportuno, también el sábado Santo hasta la Vigilia Pascual, en todas partes se observa el sagrado ayuno de Pascua" (*Normas Universales sobre el Año y el Calendario Litúrgico,* 20). Nótese que las normas hablan del ayuno pascual, no del ayuno cuaresmal. El ayuno pascual es el ayuno de anticipación a la gran fiesta de la resurrección; es el ayuno comunitario de los bautizados y los catecúmenos antes de recibir los sacramentos durante la Pascua. No es un ayuno de arrepentimiento, sino uno de alegría, reverencia y preparación.

El Triduo, una sola conmemoración solemne de la muerte y resurrección de Cristo, alcanza su momento culminante en la Vigilia Pascual. En la liturgia ortodoxa, la Vigilia Pascual se ve como "la pascua sin mancha, la gran pascua, la pascua de los fieles, la pascua que nos abrió las puertas del paraíso, la pascua que santifica a todos los fieles; la pascua gozosa, la pascua del Señor, la pascua que en su majestad ha brillado sobre nosotros. ¡Abracémonos con gran alegría! ¡Oh Pascua, líbranos del dolor!". La Vigilia Pascual no es un simple aniversario de la resurrección, sino que es una pascua a la vida en Cristo de todos aquellos que han participado en los sacramentos de iniciación y la renovación de esta vida en la Iglesia entera. En todo el año no hay nada que tenga tal riqueza como la tiene el bautismo, la confirmación y la eucaristía en esta noche que nos lleva al clímax del Triduo, la Cuaresma y el largo proceso del catecumenado.

Guardar la vigilia escuchando las lecturas más hermosas de nuestra Escritura, entonando los cantos, con la bendición e iniciación del fuego nuevo, con el fluir de las aguas del bautismo, en la riqueza del perfume que forma parte del crisma, en la bendición y el compartir del pan y el vino y, más que todo, compartir con las personas que se reúnen a celebrar estos ritos, es donde se expresa todo el sentido de nuestra esperanza e identidad como Iglesia. En esta noche vemos más claro que nunca el misterio de Cristo, su muerte y resurrección, no como una teoría abstracta, sino como un evento continuo de salvación que resucita a nuestros propios hermanos y hermanas a la vida eterna.

1. ¿Por qué crees que la Iglesia llama al ayuno del Viernes y Sábado Santo el "ayuno pascual"?

2. ¿Qué otros momentos de tu vida recuerdas en los que una fecha específica una a varios días a la vez?

3. ¿Qué experiencia y recuerdos tienes del Viernes y el Sábado Santo? ¿De qué manera la Pascua es parte de estos recuerdos y experiencias?

4. Las liturgias del Triduo Pascual son complejas. Mantén un récord de los planes y de los materiales que se preparen para las diversas celebraciones. Éste será de gran ayuda para la planeación del siguiente año.

La Pascua nos dice que Dios ha hecho algo. Esta acción ha tocado el corazón de una persona aquí y allá, de tal manera que se estremecen ligeramente a causa de alguien inefable y sin nombre. Dios ha resucitado a su Hijo de la muerte. Dios ha hecho esto, ha conquistado, no únicamente en un reino sin profundidad, en el reino de nuestro pensamiento, sino en el reino donde nosotros, no obstante la gloria de la mente humana, tenemos nuestro carácter más único en la realidad de este mundo, más allá de los "meros" pensamientos y sentimientos. Dios ha conquistado el reino donde experimentamos prácticamente lo que esencialmente somos: hijos de la tierra que mueren.

Karl Rahner

Es inmensamente mucho más fácil sufrir en obediencia al mandato humano que sufrir en la libertad responsable por las acciones de cada uno. Es mucho más fácil sufrir con otros que sufrir solo. Es mucho más fácil sufrir abierta y honorablemente que solo y en vergüenza. Es mucho más fácil sufrir a través del compromiso de la vida física que sufrir en el espíritu. Cristo sufrió en libertad, solo, aparte, en vergüenza, en cuerpo y espíritu, y desde entonces muchos cristianos han sufrido con él.

Dietrich Bonhoeffer

La Pascua: Cincuenta días de alegría desbordante

La Pascua, que fue el primer tiempo litúrgico que las comunidades cristianas celebraron de manera distinta y única, hoy en día es muy difícil de reconocerlo como tal, en toda su riqueza. Ya antes de que la Cuaresma tomara la forma que tiene, había cincuenta días de regocijo después de la Pascua y de los bautismos. La reforma litúrgica del Concilio Vaticano II no sólo mantuvo la Pascua como una estación única, sino que enfatizó su importancia cambiando la manera en que se nombran los domingos: de ser llamados domingos "después de Pascua" a domingos "de Pascua". Por sí solos, los nombres no hacen que una estación litúrgica sea festiva. Cierto sentido de cómo podemos apropiarnos de esta estación litúrgica, de la manera en que puede venir desde nuestro corazón y cómo ésta puede expresar la experiencia humana y cristiana, ayudará a lograr este objetivo. Comencemos con un vistazo a los orígenes.

Tanto la Cuaresma como la Pascua se desarrollaron al mantener la celebración de la Pascua judía; ésta llegó a ser para los cristianos el tiempo de la celebración de los sacramentos de iniciación. El tiempo pascual prolonga el regocijo de la celebración. Pero la Pascua judía, en sí misma, como memoria y experiencia de la liberación de la esclavitud, es un elemento crucial en la formación e historia del pueblo judío. Para ellos, este festival se conmemoraba con ritos que hacían referencia al éxodo, narraciones hechas de tal manera que no había duda de que la acción salvífica de Dios había actuado en el paso de la esclavitud a la libertad de sus ancestros y, desde ese tiempo, en la vida de todas las personas. Lo que los seguidores de Jesús entendieron sobre Él y sus enseñanzas estaba íntimamente ligado con lo que la Pascua judía había significado para ellos.

Hay otro elemento a considerar. El festival de la Pascua judía tuvo sus raíces en los festivales que los campesinos y pastores celebraban durante la primavera, en festivales de regocijo al final del invierno y que, al mismo tiempo, eran promesa de vida: vida en la tierra templada y en la lluvia que haría germinar las semillas, vida en los nuevos corderos que nacerían durante ese tiempo. Así la comunidad continuaría su ritmo de vida. El paso del invierno a la primavera era cuestión de vida y muerte, ¡Pero este año había vida! Ése era motivo de alegría y acción de gracias. La narración del paso de la muerte a la vida de los hebreos, de muerte en la esclavitud y vida en la salida hacia la libertad, fue una historia que empezó a contarse cada vez más durante estos festivales. Hay que destacar que los símbolos realizaban su función a la perfección: el pan y el cordero de los campesinos y pastores resonaba en el corazón de la historia de cómo Dios salvó al pueblo de Israel y de cómo Israel tuvo que salir de prisa. Las historias y ritos se mezclaron entre sí y con frecuencia olvidaron sus orígenes, pero la primavera y el triunfo de la vida y la libertad en la obra salvífica de Dios siempre se celebraron.

La Pascua nos habla de una historia humana, tal vez la más sencilla y fundamental de todas las historias. El mundo ha hecho eco de esta historia en cuentos y películas. De una manera u otra, la historia refleja en sí misma la experiencia de cada vida humana. Como cristianos, todas las historias que contamos del éxodo, de Jesús, de los huesos secos en la visión de Jeremías, de Abraham, de Isaac y de Jonás, reflejan nuestra creencia acerca de la tensión entre la vida y la muerte que habita en el mundo y en cada uno de nosotros. Esa historia, y lo que nosotros como Iglesia afirmamos como nuestra experiencia, es lo que hace que este tiempo sea Pascual.

La Iglesia forma las liturgias dominicales durante la Pascua con muchos cantos y otros elementos, haciendo uso de lo mejor que tenemos. Hay una presencia simple y hermosa del agua: en la fuente, el agua bendita, el rito de aspersión en el rito de preparación para la Misa dominical. Hay un cirio pascual, de buena altura y decorosamente adornado, que se mantiene encendido durante todas las liturgias de la estación pascual. ¡Hay más luz y color en toda la iglesia! Está el sonido de los aleluyas, melodías de cantos que sólo utilizamos durante este tiempo, así como los himnos propios de la Pascua. Por encima de todo, hay que decir que las liturgias del tiempo de Pascua deben ser reconocidas por el sentido y la sensación de paz que emana de ellas, por su gentileza, por la fuerza del silencio en el cual la semilla brota de la tierra y por las plantas empiezan a crecer, donde la tumba se convierte en vientre. Esta alegría silenciosa penetra los Evangelios de las semanas de Pascua: Jesús y María en el jardín, en el lugar de la cena, el desayuno extraño que Jesús cocina a la orilla del lago, la cena en

Emaús y el discurso que aparece al final del Evangelio de Juan. Cada pieza o elemento de arte que utilizamos en la liturgia está en función de este espíritu, dando forma a la manera en que la Iglesia ora durante estas semanas, una forma que puede repetirse año tras año. Como en cada estación, buscamos la manera de expresar el espíritu de la estación por medio de sonidos, colores, texturas, sabores, melodías y movimientos. Una Pascua hermosa y rebosante nos invita a celebrarla con la plenitud y profundidad de nuestras voces, ojos y manos cristianas.

Para la Iglesia primitiva, los cincuenta días después de la Pascua constituían un período de mistagogia. Éste era un tiempo para profundizar en los misterios pascuales, adentrándose cada vez más en la experiencia de los misterios contenidos en los sacramentos pascuales, así como en la Pascua misma. La Iglesia creía que solamente después de haber experimentado el bautismo, la persona que ha sido iniciada en la fe, puede entender los misterios. El bautismo era una iluminación: los ojos se abrían a una nueva realidad que pertenece al misterio pascual. La comunidad compartía reuniones durante el tiempo pascual con los neófitos y juntos reflexionaban sobre la presencia de Cristo en medio de su comunidad.

La Pascua no es menos importante para nosotros de lo que fue para nuestros antecesores en la fe. El acomodo de las lecturas del Leccionario durante la Pascua y lo que corresponde al calendario litúrgico, vistos desde nuestra experiencia religiosa, son una ayuda maravillosa para llegar al corazón de este tiempo litúrgico.

1. ¿De qué manera la música que se utiliza durante la Pascua evoca en nosotros la unidad de los cincuenta días de la Pascua?

2. ¿De qué forma engrandecen nuestro entendimiento y apreciación de este tiempo litúrgico las celebraciones del matrimonio, ordenaciones sacerdotales, confirmaciones, primeras comuniones, unción de los enfermos y la dedicación de alguna iglesia?

3. ¿Qué tipo de ayuda puedes ofrecer a las personas designadas para la predicación durante los cincuenta días de la Pascua, de tal manera que su mensaje conecte de verdad las Escrituras con la vida diaria?

Los cincuenta días tomados como unidad se comprimen en un solo día o fiesta, en el que Dios atrae hacia sí su pueblo disperso. Lo hace acompañándolos en Cristo en el poder del Espíritu Santo. Por esta razón, la fiesta ha dejado de ser una mera institución. Se ha convertido en una persona, la persona de Cristo. Crucificado y resucitado, Él mismo es nuestra Pascua. Por lo tanto, reunirse todos juntos en una festividad santa implica reunirse en Él cuya persona misma es la fiesta traída ahora a una perfección escatológica.

Patrick Regan

La esperanza verdadera no está en una revolución de violencia y de sangre, ni la esperanza está en el dinero y en el poder, ni en la izquierda ni en la derecha. La esperanza de la cual tenemos que dar razón y de la cual hablamos con valor, es porque está en Cristo, que aún después de la muerte, aunque sea muerte de asesinato, él es el que reina y todos los que con él hayan predicado su justicia, su amor, su esperanza, su paz.

Oscar A. Romero

Fiestas y Tiempo Ordinario

Los tiempos litúrgicos del año son anticipación y prolongación de las fiestas. Adviento y Navidad van juntos, así como la Cuaresma y la Pascua. La Navidad y la Pascua son nuestras fiestas mayores, las cuales llevan consigo otros días de fiesta como Epifanía, Ascensión del Señor y Pentecostés. Al considerar estas fiestas u otras, necesitamos reflexionar seriamente sobre la esencia de la fiesta, dado que vivimos en una sociedad que etiqueta los eventos con nombres no siempre apropiados, como si esto realmente tuviera un significado importante en la vida de las personas.

Las fiestas no sólo se hacen nombrando un día especial para ellas; también se requiere la preservación de las mismas. Este punto se menciona en relación a lo que es una verdadera fiesta y al buscar esto, estamos pidiendo una gran participación del pueblo. Joseph Pieper afirma: "celebrar una fiesta significa vivirla plenamente, de una manera especial y poco común, donde lo universal asiente ante el mundo como una realidad total" (*In Tune with the World,* página 23). Las fiestas no existen con un propósito meramente mundano, pues son una ocasión de alabanza y acción de gracias: "La alegría de ser creado, la bondad existencial de las cosas, la participación en la vida divina, el triunfo sobre la muerte . . . todas estas ocasiones de las grandes fiestas tradicionales son esencialmente un regalo" (Pieper, página 46).

Posiblemente, las personas de otras generaciones estaban más dispuestas a descubrir y celebrar las fiestas como un regalo. Ciertamente, para nosotros parece suficiente el preparar las festividades de Navidad y Pascua (así como las fiestas que las rodean), y de esta manera permitimos que estas fiestas se apropien de nosotros y que derramen en nosotros sus dones. Por ahora, el calendario de la Iglesia reconoce que no debe llenarse de fiestas que pasen inadvertidas. Para evitarlo, tenemos el conteo organizado del Tiempo Ordinario entre la Epifanía del Señor y la Cuaresma, y nuevamente desde Pentecostés hasta el Adviento. Esto nos presenta una magnífica oportunidad para celebrar plenamente nuestras fiestas, donde el domingo sigue siendo la fiesta que se observa en el hogar y en la comunidad eclesial.

La tradición separa ciertos días a lo largo del año, la mayoría durante el Tiempo Ordinario, para recordar y celebrar la memoria de los santos, algún misterio de fe, o alguna advocación de Jesús o María. Algunas de estas fiestas guardan una importancia especial en algunas comunidades, y esto debe identificarse y guardarse de una manera especial. En cada país los días festivos de obligación son un intento de identificar dichas ocasiones. Para nosotros, guardar la solemnidad de la Asunción, la Inmaculada Concepción y la de María, Madre de Dios (las últimas dos durante el Adviento y Navidad) celebran el lugar de María en la vida de la Iglesia local. Sobre la solemnidad de Todos los Santos dialogaremos más adelante. Por su parte, la Ascensión del Señor tiene su lugar propio durante la Pascua, así como la Navidad es el centro del Adviento y el tiempo de Navidad.

El Tiempo Ordinario se caracteriza por la lectura continua de la Escritura en tres ciclos: el Evangelio de Mateo en el año A, Marcos en el año B, y Lucas en el año C. Los diferentes acercamientos de estos Evangelios a la vida de la Iglesia dan la pauta y el tono para las liturgias dominicales, además de dar continuidad a todo el Año Litúrgico. Los domingos del Tiempo Ordinario no requieren una preparación de igual dimensión que las solemnidades y fiestas del resto del año, pero sí requieren de buenos arreglos de los elementos requeridos para cada liturgia y el buen uso de los talentos de cada ministro. Lo ordinario de estas semanas es lo que nos sostiene y lo que hace posible que los demás tiempos litúrgicos sean tan especiales para nosotros.

Las últimas semanas del Tiempo Ordinario, las semanas de noviembre, tienen un carácter especial que las separa del resto de las semanas del Tiempo Ordinario. En estos domingos nos acercamos más a la conclusión de cada uno de los Evangelios y escuchamos pasajes bíblicos que se refieren al final de los tiempos. Al mismo tiempo, dado que noviembre se ubica entre el gozo de la cosecha y los días más cortos y oscuros del invierno, es un tiempo en el que la gente, de manera inevitable, se centra en el tema de la muerte. Halloween con sus fantasmas, máscaras y trucos, es un descendiente del espíritu de este tiempo. Al igual que lo es la solemnidad de Todos los Santos y el énfasis de la oración por los difuntos durante el mes de noviembre, el mes en que las comunidades hispanas celebran devotamente el Día de los Muertos. La costumbre muy norteamericana del día de Acción de Gracias embona perfectamente en el espíritu de este tiempo.

Ciertamente, noviembre no es un tiempo litúrgico como lo es el Adviento o la Cuaresma, pero sí es un tiempo que busca expresar cierto espíritu: la solidaridad que profesamos con los santos y con nuestros ancestros, algo que tiene una multitud de manifestaciones: en la pintura, en nuestras ventanas, en las estatuas, reliquias, cementerios, letanías, himnos y cantos. Todo esto nos ha sido transmitido y nos ayuda a crecer en la fe y la comunión con nuestros santos y santas, y también en el estar listos a reconocer, como lo hizo san Francisco de Asís, de que en alguna o muchas maneras la muerte es una hermana para nosotros, que es otra servidora de Dios.

1. ¿De qué manera se expresa en tu parroquia la proclamación de la comunión de los santos?

2. ¿De qué manera tu parroquia reconoce y honra la memoria de María en sus diferentes advocaciones? Durante el mes de septiembre hay más fiestas marianas que durante cualquier otro mes, ¿Cómo se nota esto en tu parroquia?

3. ¿Cómo celebran la fiesta patronal en tu parroquia?

4. Durante el mes de noviembre, ¿Cuáles son las oraciones y devociones que se practican en tu parroquia? ¿Cuáles son las costumbres culturales que se unen en una sola celebración? ¿Cómo?

Existen treinta y dos semanas fuera de las cinco estaciones litúrgicas de la Iglesia. Estas semanas son conocidas como "Tiempo Ordinario". Su nombre proviene de la palabra "ordinal", que significa "contable". A cada semana se le da un número que nos ayuda a fragmentar las Escrituras en lecturas, y así colocarlas ordenadamente en un libro llamado Leccionario. Hacemos lo mismo con la oración de la Iglesia en la Misa; la ordenamos día con día en un libro llamado Misal Romano.

Tiempo Ordinario es un nombre para las semanas que están entre las estaciones litúrgicas de la Iglesia. El período de Tiempo Ordinario que abarca desde la Pascua hasta el Adviento se extiende por más de medio año. En el hemisferio Norte, la mayor parte del verano y el otoño caen durante este tiempo. Éste es el tiempo de la cosecha. En los Evangelios, Jesús habla con frecuencia de la cosecha como un símbolo que se asemeja a lo que es el cielo. De manera lenta, pero segura, como criaturas de Dios que crecen y después mueren, seremos cosechados en el cielo.

Mary Ellen Hynes

Los ritos de la Iglesia

La eucaristía permanece como la "fuente y cumbre" de nuestro encuentro con Dios en Cristo. Aun así, hay otros ritos en la Iglesia que proveen fundamento, contexto y punto de partida que nos ayudan a apreciar la centralidad de la eucaristía en nuestra experiencia comunitaria del misterio pascual.

La liturgia une a la persona y a la comunidad cristiana ante el Señor por medio de los ritos de iniciación. Los renueva cada semana en ese lazo y en esa presencia; lo hace también al expresar lo que sucede cuando dos personas contraen matrimonio, cuando nos reconciliamos unos con otros, con la Iglesia, con Dios, cuando nos enfermamos y cuando morimos. En maneras sencillas, la liturgia hace únicas las mañanas, la hora de los alimentos y las noches de nuestra vida.

La Liturgia de las Horas

No son muchas las personas que están familiarizadas con este tipo de oración comunitaria. ¿Entonces por qué este escrito pertenece a una oración que es familiar a todos los católicos?

Hace mucho tiempo, nuestros antecesores en la fe siempre tuvieron maneras individuales y familiares de alabar y dar gracias a Dios de manera constante, con su riqueza poética al orar por la noche y por la mañana con himnos y salmos que estaban grabados en su corazón. Con el paso del tiempo, perdimos esas formas de oración. Sin embargo, recientemente se han encontrado algunos sustitutos: oraciones conocidas como "ofrecimiento de la mañana", el acto de contrición, el *Angelus* y otras oraciones relacionadas a ciertos momentos del día. Para algunas personas, estas oraciones también se han perdido, y aparentemente nada ha tomado su lugar.

Algo ha sucedido con los rituales que no forman parte de la Misa. Muchas devociones populares, devociones al Sagrado Corazón, a Nuestra Señora de los Dolores, y otras más, se desarrollaron durante los siglos en que la liturgia de la Misa era algo en lo que la mayoría de los católicos no participaban plenamente. Usualmente, las devociones eran en la lengua del pueblo, con himnos populares, movimiento, gestos y objetos tales como el incienso y las imágenes. Casi siempre había mucha asistencia para la práctica de las devociones, pero en años recientes la participación en estas devociones ha disminuido considerablemente.

Fue en las oraciones y devociones no eucarísticas donde los católicos aprendieron a orar, como personas, como familias y en pequeñas comunidades. La mayoría de los católicos de hoy sólo conocen la eucaristía como una forma común de oración comunitaria. Para la gran mayoría de los fieles, es difícil que exista alguna otra forma de oración comunitaria. Sin los hábitos y rituales que proveen oraciones para el inicio y el fin del día, para enseñarnos a orar, para dirigir nuestros corazones en un espíritu de alabanza, petición, acción de gracias y contrición, no tenemos una forma de prepararnos para orar y celebrar la eucaristía, no sabemos cómo orar en una reunión masiva de nuestra Iglesia y no tenemos una manera que permita que la eucaristía haga eco en el resto de nuestra semana.

Orando es como se aprende a orar, y aprendemos a orar en la Misa a través de las múltiples formas con las que ese ritual de oraciones se adentra en nuestra vida diaria. Descubrir las formas y ritmos de oración que resuenen hoy en el corazón de cada persona tiene prioridad en la vida de los cristianos.

El sugerir que la Liturgia de las Horas pueda ser una respuesta a esta necesidad no significa que haya que popularizar el libro del breviario, el cual se asocia por lo general con la forma de oración del clero. De hecho, este libro es producto de una historia que tiene su inicio en la sencillez de la oración de todos los cristianos. En los monasterios se convirtió en un modelo de oración muy complicado y se perdió para la gente común. Hoy algunos han realizado investigaciones sobre los orígenes de la Liturgia de las Horas, tratando de llegar a la mejor parte de sus formas iniciales, con la esperanza de que una forma de oración auténtica y popular para la mañana y la noche pueda volver a ser la oración diaria o semanal de las parroquias y de los individuos.

En su forma más simple, la alabanza y acción de gracias a Dios cada mañana y cada tarde no necesitan escribirse. Es una oración que se conoce de memoria, pues vive en el corazón de cada persona. Las oraciones básicas de esta forma de oración son el Padre Nuestro, las intercesiones y los salmos. Éstas pueden ser repetidas, y aún así pueden conservar la fuerza y el espíritu de su contenido, aun cuando se repitan una y otra vez, cosa que no sucede con la mayoría de los textos. Para una persona, la oración de la mañana o de la noche debe consistir de uno o dos salmos pequeños, posiblemente una aclamación pequeña y un momento de reflexión. Cuando muchas personas se reúnen a orar en la parroquia o en el hogar, se pueden agregar algunos himnos sencillos y comunes, junto con algunas intercesiones. Los domingos por la tarde y algunos días de la semana, durante la mañana (si es Cuaresma por las tardes), o en los días festivos, la parroquia entera puede celebrar de manera más elaborada la Liturgia de las Horas. En cualquiera de estos momentos, la lectura de la Escritura debe tener un lugar prominente.

La vivencia diaria de la fe necesita fortalecerse con la oración sencilla a la que podríamos llamar ritos o formas de oración, porque no cambian. Esto puede tomar lugar en el corazón, en lo que despertamos a la nueva vida y al prepararnos para vivir nuestro día, al momento en que nos reunimos en torno a la mesa para compartir los alimentos y cuando nos despedimos para descansar en la tranquilidad de la noche. De manera más elaborada, esta oración puede tenerse en la iglesia local el domingo, entre cada Misa si es el caso, por la tarde. Esta oración no necesita crearse de la nada; ¡Ya la tenemos! Siempre la hemos tenido de la misma manera que Jesús la conoció: a través de los salmos y la proclamación de la Escritura. Nuestra tarea es redescubrir el valor del tesoro que ha sido nuestro desde siempre.

1. En la Liturgia de las Horas de la Iglesia ¡Nosotros somos la Iglesia! y se santifica el día. Necesitamos ver la salida y puesta del sol como un signo de Dios que cuida de la creación. Nuestra esperanza es que la Liturgia de las Horas se convierta en un ritual humano, que satisface, que marca el paso del día y la noche en nuestra vida.

2. *La Instrucción General de la Liturgia de las Horas* provee un bosquejo sobre la teología de la Iglesia respecto a la oración. Éste debe estudiarse cuidadosamente como una introducción a la espiritualidad de nuestra oración diaria.

3. ¿De qué manera el *Angelus*, la oración de la mañana y la señal de la cruz que trazamos sobre nuestra frente al caer la noche complementan la obra de este tipo de oración?

4. ¿Alguna vez tu parroquia ha considerado la distribución de panfletos que contengan un salmo, una aclamación y la oración del Señor para cada uno de los miembros de la asamblea? Junto con este material se debe incluir alguna motivación para que, por medio de su uso, redediquen su día y se unan otros más durante el transcurso de la semana.

5. ¿Cuáles serían algunas ocasiones ideales en tu parroquia para la celebración de la Liturgia de las Horas?

6. ¿Qué tipo de catequesis puede o debe ofrecer tu parroquia acerca de los salmos y sobre este tipo de oración?

El hombre es el otro yo de Dios. Nos ha elevado para poder platicar y compartir con nosotros sus alegrías, sus generosidades, sus grandezas. ¡Qué interlocutor más divino! ¡Cómo es posible que los hombres podamos vivir sin orar! ¡Cómo es posible que el hombre pueda pasarse toda su vida sin pensar en Dios! ¡Tener vacía esa capacidad de lo divino y no llenarla nunca!

Oscar A. Romero

Para orar necesitas método, orden, disciplina, pero también flexibilidad, porque el Espíritu Santo puede soplar en el momento menos pensado. La gente se estanca en la oración por falta de método. El que ora de cualquier manera llega a ser cualquier cosa.
Aunque nuestra boca estuviera
llena de canto
como el mar;
y nuestra lengua de júbilo
como el bramido de sus olas;
y nuestros labios, de alabanza
como la amplitud del firmamento;
y nuestros ojos resplandeciesen
como el sol y la luna;
y nuestros brazos se extendiesen
como las águilas de los espacios;
y nuestros pies fuesen ligeros
como los de los ciervos . . .
No alcanzaríamos a agradecerte, Adonai, Dios nuestro y Dios de nuestros padres, y a bendecir tu Nombre ni una infinitésima parte, por los beneficios que hiciste a nuestros padres y a nosotros. Amén.

Ignacio Larrañaga

Rito de Iniciación Cristiana para Adultos

Cada sociedad que desee permanecer activa en la historia tiene que aceptar nuevos miembros. Dígase lo mismo de las ligas de béisbol, los equipos universitarios, los sindicatos, los Estados Unidos y la misma Iglesia. En algunas sociedades, se requiere muy poco para ser parte de ellas: cuando una persona desea ser parte de un club de libros, solamente llena el formulario y envía el cheque con la cantidad indicada. En el otro extremo, sobre todo en algunas culturas de África, a fin de que los jóvenes sean aceptados en la comunidad como adultos, tienen que pasar por ritos muy elaborados. La seriedad que rodea la admisión de los nuevos miembros, el lapso que abarca esta preparación, el diálogo, reflexión y trabajo entre la persona que pide ser admitida y el grupo mismo que lo admitirá . . . estos son algunos de los signos por los cuales podemos evaluar la importancia que el grupo tiene para sus miembros.

Más aún, las costumbres que forman parte del rito de iniciación revelan mucho sobre el grupo al candidato y, pasando por la iniciación, el candidato a su vez revela mucho sobre sí mismo al grupo. Esto se parece al noviazgo antes del matrimonio: si éstas dos personas pasarán el resto de su vida juntos, por lo tanto, vale la pena prepararse bien. Los ritos han tenido su propio desarrollo y se han implementado una y otra vez en la iniciación de los nuevos miembros, y esta experiencia es la que ha probado la efectividad de los mismos. Ayudan a que el candidato y la Iglesia tomen las decisiones necesarias sobre su vida de fe en relación con los demás.

Poco a poco, la Iglesia Católica ha ido redescubriendo sus ritos de iniciación cristiana para adultos. Los modelos en estos ritos están basados en aquellos que se desarrollaron durante los primeros siglos de la Iglesia, cuando muchos adultos buscaban ser admitidos como parte de las comunidades cristianas. Tanto las diócesis como las Asambleas Nacionales de Obispos han procedido con mucha lentitud debido a que hay muchos elementos que deben considerarse seriamente. Toma mucho tiempo ir de la tradición reciente del "grupo de los conversos" y de la instrucción privada antes el Bautismo a la riqueza y plenitud del proceso del Rito de Iniciación Cristiana de Adultos.

El rito presupone un período de iniciación de al menos un año o más. En el primer paso, la persona escucha la predicación del Evangelio. Éste es un tiempo de reflexión y diálogo, de penetración en el mundo de la Escritura y por lo tanto no debe apresurarse. Al segundo paso se le llama catecumenado. Inicia cuando el candidato pasa formalmente a ser parte del "orden de los catecúmenos", lo que es una manera de pertenecer a la Iglesia. Durante este tiempo, cuya extensión puede variar de algunos meses hasta algunos años, la formación consiste en el contacto con la Iglesia-Comunidad y especialmente con los catequistas. Los catecúmenos deben participar en la Liturgia de la Palabra, así como en la vivencia del Año Litúrgico dentro de la comunidad, que es la gran maestra de la vivencia litúrgica, así como su mejor testigo. Cuando la comunidad y el catecúmeno consideran que ha transcurrido el tiempo necesario, entonces toma lugar el "rito de elección", manifestando que ahora los candidatos son "electos", son los elegidos. Esto toma lugar al inicio de la Cuaresma. La Cuaresma sirve como un período de purificación y está marcado por ritos especiales, como "los escrutinios" que toman lugar en las Misas dominicales. La Iglesia entera ora para que los candidatos estén libres de todo mal. Entonces, después del ayuno pascual del Viernes Santo y del Sábado Santo, los electos profesan su fe durante la Vigilia Pascual, reciben el bautismo y la confirmación y comparten por primera vez la Eucaristía. Durante los cincuenta días de la Pascua, los nuevos bautizados continúan asistiendo juntos a la iglesia para que la Iglesia sea un testimonio de la plenitud de su vida.

Es en la liturgia donde la Iglesia celebra la vida como una totalidad; es en ella donde la Iglesia se expresa a sí misma para los candidatos, desde su integración en el catecumenado hasta el fin de la Pascua como cristianos. En un futuro cercano, estos ritos incorporarán cada vez más maneras en que la comunidad estará al pendiente de los catecúmenos, para estar más atentos y motivados por su presencia. Pero la liturgia tiene que expresar los elementos reales de la vida de las personas. Por esa misma razón, los ritos de iniciación reúnen lo que realmente está sucediendo: los catecúmenos están aprendiendo sobre Cristo, de quienes forman la Iglesia, y quienes ya son miembros de ella también están aprendiendo más sobre Cristo por medio de los candidatos.

La iniciación cristiana de adultos es mucho más que un baño ritual. Si reducimos la iniciación de adultos a los ritos que toman lugar en la fuente bautismal, robamos al miembro nuevo de la Iglesia el gran amor y apoyo cristiano que tanto necesita y que sólo la comunidad puede darle. Todo el proceso de hacerse cristiano, que se presenta en el *Rito de Iniciación Cristiana de Adultos*, requiere la participación de la comunidad en la jornada del candidato hacia el bautismo. La comunidad transmite esta tradición viva de fe en formas que ninguna persona o catecismo es capaz de hacer. Detrás de todos estos ritos y preparaciones catequéticas, hay un fuerte sentido de bienvenida. La comunidad recibe a sus nuevos miembros de manera cálida y con los brazos abiertos para integrarlos plenamente en la comunidad.

1. Estudia la introducción al *Rito de Iniciación Cristiana para Adultos* y los *Estatutos Nacionales para el Catecumenado*. ¿Cómo se comparan las prácticas actuales de tu parroquia de aceptación de adultos con lo que presenta el documento?

2. ¿Qué sentido tiene el requerimiento del párrafo número seis, de que los catecúmenos experimenten un año litúrgico completo?

3. Busca algunas personas que se hayan unido recientemente a la Iglesia. ¿Qué pueden decir ellos sobre su iniciación con el fin de que sus aportes puedan ayudar a los planes futuros de la parroquia?

4. ¿De qué manera la parroquia puede ministrar a los adultos después que han sido bautizados? ¿Qué hace tu parroquia con la experiencia de compartir la fe en pequeñas comunidades eclesiales de base?

El Rito de Iniciación Cristiana es un componente crucial de la evangelización dentro de las comunidades hispanas, pues, como familia, buscan un momento sacramental para compartir su fe.

De esta manera, el Rito de Iniciación Cristiana pasa a ser la "llave" que abre las puertas de la fe, la Iglesia y la comunidad. Una vez que la familia ha sido introducida al Cuerpo de Cristo en la comunidad de fe, los lazos pueden desarrollarse mediante la fe y la catequesis.

Sin embargo, la piedra angular en la implementación del Rito de Iniciación Cristiana es el deseo de todos los ministros de dar la bienvenida y ser hospitalarios con aquellos que buscan un lugar en la Iglesia. Dar la bienvenida es algo más que colgar un letrero que diga "Bienvenidos"; al contrario, es una actitud de la que cada miembro de la Iglesia debe empaparse, desde quien abre la puerta hasta quien administra el sacramento. La colocación de esta piedra angular de manera firme asegurará una buena implementación del rito.

Richard Vega

Bautismo de infantes

La llegada de un nuevo miembro a la familia marca una diferencia enorme en nuestra vida. Los papás saben eso, así como las hermanas y hermanos del recién nacido. Las cosas cambian. Deben cambiar. Es necesario hacer algunos ajustes en el estilo de vida y en el largo proceso de acompañar a esta persona desde su etapa de dependencia total hacia el inicio de la madurez. Esto es importante porque todos se preparan para este ajuste de vida que surgirá a partir del nacimiento del bebé: la sociedad, nuestras amistades cercanas, el personal médico e incluso el mundo de los negocios nos prepara antes del nacimiento del bebé. Las fiestas de regalos que anteceden al alumbramiento proveen a la familia de las cosas necesarias para la vida del bebé, tanto como algunos consejos. Preguntas sobre el sexo del bebé, el nombre que llevará, sus dimensiones y si se parece al papá o a la mamá invaden los primeros días de la vida del bebé. La misma sociedad nota este cambio: se ve en la necesidad de ampliar los salones de clase, lugares de recreo y trabajo, incluso los centros comerciales.

La Iglesia observa y celebra también el nacimiento de un bebé dentro de la comunidad. El bautismo de infantes es el signo más visible de esta noticia. Este rito, revisado después del Concilio Vaticano II, reconoce la realidad de que la criatura no es un adulto pequeño que se está bautizando, sino que es una reunión de la Iglesia alrededor de sus padres y del nuevo miembro de la Iglesia. Como con los adultos, la iniciación es una iniciación en la comunidad, pero aquí radica la función de la comunidad de ser ella misma un recurso de alimentación, de fe y testimonio evangélico en la vida diaria.

Con frecuencia, algunas parroquias piden que los padres asistan a pláticas de preparación antes del nacimiento de la criatura. Estas reuniones proveen una oportunidad para que los padres conozcan al personal de la parroquia y a los miembros de la comunidad que realizan este ministerio. En este momento, los padres y padrinos pueden dialogar sobre el compromiso que asumirán al bautizar al bebé que presentan o presentarán a la comunidad; a la vez, se les podrá informar sobre la manera en que la parroquia les ayudará a llevar a cabo su compromiso. En un proceso como éste, los padres tienen la oportunidad de reflexionar sobre el bautismo y el pastor podrá conocer la seriedad que los padres están dando al sacramento, junto con su compromiso de hacer de la Iglesia la primera casa donde sus hijos aprendan a tener fe y a vivir el amor. Es entonces cuando el bautismo empieza a planearse.

En el bautismo de un niño, tanto los padres como la comunidad entera realizan y expresan un compromiso. Es por eso que la comunidad necesita estar presente: su apoyo es real, no teórico. En la práctica, ese compromiso debe manifestarse en la presencia especial del ministro que ha trabajado antes con las familias durante el proceso de preparación, en la celebración del sacramento y en el seguimiento de éste. Los ministros deben ser personas entre cuyos dones esté la facilidad de conocer y establecer relación con la gente que acude a la iglesia. Ellos deben manifestar a los padres y padrinos una Iglesia cuya preocupación es ayudar a las personas en sus necesidades reales y no sólo el imponer modelos de conducta para ellos. Los mismos ministros velarán para que la Iglesia no se olvide de los niños que hoy recibe durante los años que transcurren entre el bautismo y la primera eucaristía. Ellos conocen la importancia que tienen los primeros años para los que vendrán después, así como el apoyo que requieren los padres de familia por parte de la Iglesia en este proceso.

El rito del bautismo de infantes debe programarse de tal manera que esta celebración sea una bienvenida festiva para el niño y una afirmación fuerte de la fe y el compromiso de los padres y de la comunidad.

Dado que la presencia de la comunidad es muy importante, la celebración del bautismo puede tomar lugar durante la Misa dominical, pero no siempre tiene que ser así. Entre los días apropiados está el tiempo de Pascua, con preferencia sobre otro tiempo, el Bautismo del Señor y tal vez durante la fiesta patronal de la parroquia. Dentro del rito, la aclamación de la asamblea que manifiesta su apoyo a los padres y que comparte la alegría del bautismo necesita ser clara y fuerte, con un canto, un aplauso u otros signos claros y comunes. Documentos recientes manifiestan la preferencia que la Iglesia tiene por el bautismo por inmersión, de tal manera que el símbolo del agua, manifestado claramente en su bendición, purifique a cada uno de los presentes. La vestidura bautismal, así como el cirio o vela, son dos objetos hermosos y testigos de lo que ha sucedido.

Cuando se bautiza a un infante, por naturaleza nuestra atención se dirige a él o a ella. Pero los padres también merecen atención, puesto que ellos son quienes por medio de este bautismo se han comprometido a educar a su hijo o hija en la fe. Necesitan apoyo y motivación, oración y buen ejemplo para cumplir plenamente su vocación de padres cristianos. Puede ser que ellos sean personas nuevas que se han trasladado al barrio o que no asisten con frecuencia a las liturgias dominicales. Aun para padres de familia que se mantienen activos dentro de la vida parroquial, el bautismo de un hijo puede ser una ocasión para una plena iniciación dentro de la vida de la Iglesia.

1. ¿De qué manera la familia parroquial manifiesta su apoyo a los padres de familia en la celebración del bautismo?

2. ¿Qué pasa en la vida del niño(a) entre su bautismo y el primer año de escuela? ¿Qué aprenden y qué direcciones se plantean? En el bautismo, los padres se comprometen a vivir cristianamente y la Iglesia se compromete a ayudarlos en eso. ¿Cómo puede la Iglesia manifestar este apoyo durante los primeros cinco años de vida del bebé?

3. ¿La biblioteca parroquial provee a los padres libros y videos que contengan historias reales que alimenten la fe de sus hijos?

El bautismo que Cristo da, es un bautismo de fuego,

que purifica al hombre y le da también

la consistencia de poder resistir

el juicio de Dios. Y bautiza en Espíritu Santo,

porque el espíritu que lo ha ungido a Él,

haciéndolo Hijo de Dios en las entrañas de María

Santísima, es el mismo Espíritu que santifica

al niño que se va a bautizar. Y este niño cristiano

que crece fiel a su bautismo, lleva el soplo

del Espíritu Santo, el soplo de la verdad.

El cristiano que se deja llevar por su bautismo,

llega a ser santo, héroe; no hay hombre

más valioso entre los ciudadanos de un país,

que los ciudadanos bautizados cuando son fieles

a su bautismo.

Oscar A. Romero

Confirmación

El debate que existe dentro de la Iglesia respecto a este sacramento se refleja en la variedad de edades sugeridas para esta celebración. En algunos lugares, la Iglesia confirma a los niños cuando son bautizados. En otros, la confirmación se da al mismo tiempo de la primera comunión o eucaristía. La práctica que se ha seguido en gran parte de los Estados Unidos ha sido confirmar a los adolescentes durante los años de la escuela secundaria, pero muy pocos lugares han tomado la iniciativa de hacerlo en los años posteriores, para que la confirmación sea el sello de una decisión madura de pertenencia a la Iglesia. Hay un consentimiento general de que la confirmación es un sacramento de iniciación, junto con el bautismo y la eucaristía, pero hasta el día de hoy no existe un acuerdo común sobre su uso.

Por ahora, en la mayoría de los lugares, la celebración de este sacramento se prepara para grandes cantidades de jóvenes. Es importante que la liturgia sea una expresión fuerte de la vida de la Iglesia en el Espíritu y una expresión fuerte de la oración de la Iglesia, en la que el Espíritu fortalece a quienes han sido confirmados. Un énfasis exclusivo en la madurez de la persona que sostiene que ahora es "soldado de Cristo", es un concepto teológico no muy adecuado.

En la liturgia, la presencia de los candidatos es fundamental. De hecho, su presencia debe ser clara para toda la parroquia durante las semanas que anteceden a la fecha de la confirmación: orando por ellos públicamente y por la presencia del grupo y de sus padrinos durante las Misas dominicales. En la liturgia de confirmación, es necesario escuchar sus nombres, así como ver cada uno de sus rostros. No son la "generación de confirmados", una muchedumbre anónima de adolescentes del séptimo u octavo grado de la escuela secundaria; son muchos individuos, cada uno de los cuales ha pedido ser confirmado; tanto la asamblea como el grupo de catequistas consideran que están listos para recibir el sacramento; cada cual tiene un padrino o madrina que, junto con el párroco, testificará que está preparado para recibir el sacramento de la confirmación. Los candidatos al sacramento, así como los padrinos, deben ser parte activa en la preparación de la liturgia de confirmación, aprendiendo y experimentando especialmente la fuerza y la historia de la imposición de manos, así como la unción con el aceite perfumado.

Ordinariamente la confirmación implica la presencia del obispo. La planeación de la liturgia le debe permitir a él, como presidente de toda la asamblea, relacionarse directamente con los candidatos y con la asamblea entera. Si la liturgia es concelebrada, esto no debe oscurecer la relación entre el obispo, los candidatos y el resto de la asamblea. Dentro de la liturgia, el obispo debe presentarse a la comunidad y se le debe dar la bienvenida. Es muy probable que el obispo no esté familiarizado con las prácticas locales en la liturgia; por ese motivo, los demás ministros deben estar bien preparados e informados sobre lo que será su papel en esta liturgia de confirmación y, a la vez, estar conectados internamente con el flujo de toda la celebración litúrgica. Esto dará mayor libertad al obispo al presidir la celebración, sabiendo que todo estará en su lugar, y así estar completamente presente con y para los candidatos y toda la asamblea.

La liturgia debe ser sencilla, sin elementos adicionales que intentan dar más solemnidad, y que, a fin de cuentas, distraen nuestra atención de los símbolos centrales de la imposición de manos, la unción y la eucaristía. Los ritos de preparación pueden fijar un ritmo y movimiento festivo durante toda la celebración. La Liturgia de la Palabra procede como si fuera cualquiera de los domingos del año.

En el rito de confirmación, después del Evangelio, se llama a los candidatos por su nombre y se desplazan al frente de la asamblea; después, el obispo se dirige a ellos en la homilía. Los ritos que siguen deberán desarrollarse con un flujo normal, sin ninguna explicación o comentario. Todo debe prepararse con anterioridad, de tal manera que la imposición de manos, con el silencio que la antecede, se una experiencia profunda y poderosa. Esto puede suceder cuando toda la atención está en el obispo y en los candidatos, cuando el silencio es total, cuando el gesto se realiza en plenitud y la oración se pronuncia o se canta con fuerza, cuando el "Amén" es como el Gran Amén que cantamos en la conclusión de la plegaria eucarística. Para este momento, toda la asamblea debe tener la posibilidad de ver el crisma, el aceite mezclado con la fragancia y bendecido por el obispo el Jueves Santo. La unción requiere el uso generoso del aceite, y el aceite no debe secarse inmediatamente de la frente de quien ha sido confirmado, al contrario, es mejor distribuirlo en la frente y cabeza del confirmado. La fragancia del crisma debe sentirse en todo el espacio de oración. El recipiente sagrado que contiene el crisma junto con su rica fragancia, puede traerse en procesión en el rito de entrada y puede honrársele con el incienso. Todo esto ayuda a transformar la unción, de ser un punto misterioso de la tradición a un hermoso ritual de la Iglesia que honra y fortalece la presencia del Espíritu Santo en sus miembros.

Después de la unción, se prepara la mesa para la eucaristía, la cual debe ser un banquete festivo.

1. En los ritos orientales de la Iglesia Católica, existe un rito llamado crismación, porque el mismo crisma es el símbolo principal, habla de la acción de Dios, sellando así el don del Espíritu. ¿Qué puede hacerse para elevar el aprecio de los candidatos por este aceite bendito?

2. ¿Cómo podemos profundizar en nuestra apreciación de la conexión profunda que existe entre el bautismo y la confirmación?

3. ¿Qué podemos hacer para evitar que la confirmación parezca un curso escolar?

4. ¿De qué manera la confirmación puede ser una celebración de la parroquia entera y no de un cierto número de familias?

La señal de la cruz se traza sobre la parte más visible de nuestro cuerpo que cualquier persona que nos conoce puede ver. Nada nos es más difícil de esconder que lo que, de alguna manera, está escrito en nuestra frente. Cualquier persona que alguna vez haya tenido que usar, aunque sea pequeña, una pañoleta alrededor de la frente después de algún percance puede testificar la verdad de lo que digo.

El crisma se produce con esencias aromáticas (especialmente bálsamo) que se mezclan con aceite de olivo. Nuevamente el elemento de manifestación pública que es propio de la confirmación ejerce su influencia. Pablo dice que los cristianos deben ser el "aroma de Cristo" (2 Corintios 2:14). Dondequiera que los cristianos vivan su bautismo y confirmación auténticamente, emitirán una "fragancia fuerte y total".

¿Cómo se puede observar detenidamente a la Madre Teresa trabajando con los niños que están muriendo de hambre en Calcuta y no oler algo de su fuerte y única fragancia, este aroma de Cristo? Esta mujer ha hecho realidad el significado de las palabras del obispo, cuando el día de su confirmación, impuso las manos sobre ella y le ungió la frente para que ella confesara su fe y fuese un testigo de ella.

Balthasar Fisher

Bodas

Cuando dos personas se casan, todo el conjunto de ritos, estatales, familiares, culturales y eclesiales, responden a diferentes propósitos. Estos ritos manifiestan lo que cada uno de estos grupos cree acerca del matrimonio, a la vez que cada uno trata de imprimir esta convicción en el corazón de la pareja. Por otra parte, estos ritos dejan a cada persona la posibilidad de ajustarse a la idea de que hay algo nuevo entre nosotros: el día de mañana no podemos pensar lo mismo que pensábamos ayer sobre estas dos personas. Aun así, este conjunto de ritos tiene otro propósito: algunos de ellos buscan ayudarnos a expresar nuestra alegría y emoción durante la fiesta. Cuando dejamos que el ritual actúe con toda su fuerza, todos estos aspectos aparecen como resultado del mismo ritual. Sin embargo, existen algunas dificultades en torno al papel de la Iglesia en la boda. Si la pareja no guarda entre sí un sentido de pertenencia a la Iglesia, se mantendrán indiferentes ante el papel de la Iglesia en la celebración del sacramento, viendo y experimentando lo que sucede en la iglesia como una obligación más por realizar. Aparte de la procesión de entrada de la novia y la escucha de una o dos melodías favoritas, podrán decir: "Cualquier cosa que el padre quiera, está bien para nosotros".

Nuestra meta para las personas que contraen matrimonio es hacerles sentir que pertenecen a la Iglesia y que el ritual de la Iglesia es su propia expresión de lo que significa el matrimonio. Con frecuencia, es posible iniciar con el sentido de que esta boda es una reunión y celebración del pueblo: amigos y parientes con sus propias fragilidades e incluso una posible falta de fe. Es esta gente, con sus esperanzas, lágrimas y suspiros, los que están reunidos en la Iglesia. Es su fe y su amor, unidos por el amor de la pareja que contrae matrimonio y motivados por el liderazgo del que preside la celebración, lo que celebra el sacramento. Es una familia, una comunidad de amigos, una Iglesia, la que celebra. Un entendimiento como éste enriquecerá la experiencia de la pareja y evitará el acercarse al ritual del matrimonio como si fuera una forma prefabricada y totalmente indiferente a ellos, o como un paso necesario a fin de que puedan celebrarse ellos mismos.

Algo tiene que pasar entre la Iglesia reunida en este lugar, y la pareja, algo que va más allá de lo legal y lo social, algo unido por la identidad misma de la Iglesia. Cuando encontramos o perdemos un trabajo, cuando nos movemos de un lado a otro, cuando uno de nuestros hijos crece y se va a vivir a otro lugar, estos son momentos cruciales, momentos para orar, pero no son momentos en los que la Iglesia nos convoca a reunirnos. Una boda es algo más: es algo más profundo, más duradero. Nuestra esperanza, nuestra fe y nuestro apoyo necesitan expresarse en el mismo ritual de la Iglesia, en formas en que simplemente no es posible hacerlo en los otros rituales sociales y legales de una boda. En la liturgia del sacramento del matrimonio, buscamos el signo más profundo de lo que esta Iglesia reunida aquí, tanto como la Iglesia entera, cree: la gratitud profunda a Dios por haber unido a esta pareja, la confianza en su fuerza y gracia que los ayudará a llegar hasta el fin, y la necesidad y el deber de interceder por la pareja y por toda la Iglesia y el mundo.

El ritual está ahí para hacer que tales cosas sucedan, se sientan, sean vistas; para que las escuchemos y también podamos tocarlas. Con cantos, procesiones, saludos, oraciones, lecturas de la Escritura y una reflexión en silencio, los amigos y la familia se unen a la celebración del rito junto con la pareja. El espíritu que se crea a partir de esta participación nos conduce al mejor momento para que la pareja responda a las preguntas propuestas para ellos: sobre la libertad, la fidelidad, un hogar cristiano y la familia. Esto mismo los lleva al mejor momento para intercambiar los votos, un momento profundo, con palabras claras, habladas y dirigidas por y para cada uno de ellos de tal manera que todos puedan oír y que todos puedan responder con algún signo de afirmación. El dar y recibir el anillo expresa, en uno de los signos más antiguos, la unión y la esperanza de que esta relación dure por siempre. La bendición del matrimonio, que se imparte una vez que la eucaristía ha sido celebrada, es una oportunidad para todos los presentes de manifestar que en sus corazones está el futuro de esta nueva pareja.

Esto requiere algo más que elegir las lecturas que se proclamarán y los cantos sugeridos para la celebración. Existe la presunción de que el rito por sí mismo se celebra correctamente, con un presidente y otros ministros que realicen su tarea de manera apropiada, con el flujo del ritual que crea comunidad entre los asistentes y les ayuda a expresar lo que hay en sus corazones, con un lugar y momento ideal para que la pareja intercambie sus votos ante el Señor y la Iglesia.

1. El diálogo sobre una liturgia de bodas puede iniciar y finalizar con la selección de la música y los textos de la Escritura que se proclamarán. Estos aspectos son muy importantes, pero hay mucho más por considerar. Hay un momento de reunión y procesión, y el papel de los novios como ministros del sacramento, el papel de la asamblea en la inclusión de los ritos étnicos. ¿De qué manera se prepara tu parroquia para la incorporación de estos elementos?

2. ¿Por qué piensas que muchas parejas están predispuestas a hacer "cualquier cosa que el padre quiera que se haga"?

3. ¿De qué manera la asamblea puede expresar su regocijo y gratitud con la parroquia por la liturgia matrimonial que se ha celebrado?

4. Cuando la comunidad es parte de la celebración, su participación es un apoyo real a los novios en la vivencia de su compromiso. Aun así, con frecuencia se ignora el papel de la asamblea. Frecuentemente parece que la asamblea sólo se reúne para ver lo que está pasando o para tomarse la fotografía del recuerdo, en vez de participar plenamente en la celebración. La Iglesia entera recibe una bendición por medio de esta pareja. Hay una gran alegría en la testificación de la comunidad. ¿De qué manera los ministros litúrgicos urgen a la gente a participar de una manera consciente, plena y activa en cada liturgia matrimonial?

5. Muchas parroquias proveen a las parejas un folleto con los aspectos y elementos que deben considerarse al prepararse para la celebración matrimonial. ¿Qué otros recursos debe tener disponibles tu parroquia para ayudar a las parejas a preparar la liturgia matrimonial?

Ya no sentirán la lluvia

porque serán techo el uno para el otro.

Ya no sentirán el frío,

porque se brindarán calor uno al otro.

Ya no habrá más soledad,

porque serán compañía el uno para el otro.

Ustedes son dos personas distintas,

pero con una sola vida en frente de los dos.

Edifiquen la morada donde pasarán

y vivirán los días de su vida juntos,

que sus días sean duraderos

y llenos de esplendor sobre la tierra.

Oración nupcial apache

Reconciliación

En la familia, la escuela, el lugar de trabajo, y en cualquier comunidad, se debe prestar atención a la experiencia de la reconciliación y sanación. La gente se hiere mutuamente, dejando que esa herida crezca dentro de sí mismos y, a su vez, hiere a alguien más. Las decisiones se toman a raíz de cualquier aspecto, menos del bien mayor que todos puedan alcanzar. De cualquier forma, tales cosas manifiestan en escalas grandes y pequeñas la presencia del maligno, no como algo general y abstracto, sino como una experiencia cercana, como algo concreto. Cuando lo intentamos, podemos encontrar formas de curar la herida interior, de reconciliación y sanación.

La Iglesia, toda Iglesia, toda reunión que profesa la vivencia de la palabra contenida en las Escrituras y se encuentra a sí misma en la fracción del pan, sabe que todo lo que hiere y todo lo que sana está en el corazón de lo que significa ser Iglesia: que Dios es más grande que el maligno y todas sus manifestaciones, que Dios nos ama a pesar de que en ocasiones actuamos mal, sabe que existe la reconciliación. Cada vez que la Iglesia se reúne, se proclama esta verdad. Dicha dirección hacia la reconciliación, no como un aporte de la teología, sino como una realidad en nuestras comunidades, se celebra especialmente en la eucaristía. En un mismo pan y una misma copa, en la oración del Padre Nuestro, en el saludo de paz y en el compartir la comida y bebida del cuerpo y la sangre del Señor, compartimos la visión del Reino de Dios, donde terminan todas las heridas que nos hayamos hecho unos a otros. Pero la Iglesia no se queda satisfecha con la visión de que todo estará bien en la otra vida: el comer y beber en santa comunión son una mentira si no reflejan en los fieles un esfuerzo por vivir el Reino de Dios por adelantado.

La Iglesia tiene otros ritos aparte de la eucaristía que se enfocan en la reconciliación de un individuo con la comunidad, o que manifiestan un esfuerzo común de arrepentimiento, de una lucha (interna y externa) contra el mal. El tiempo de la Cuaresma, se desarrolló no sólo para la iniciación de los nuevos cristianos, sino para celebrar actos comunitarios de reconciliación y penitencia, para aquellas personas que sienten haber ofendido a la comunidad y se han apartado de los mandamientos del Señor. De esta forma, la Cuaresma se convirtió en un tiempo en el que la Iglesia entera se aparta del camino del mal y camina por la senda del Señor.

Mientras vamos descubriendo las dimensiones de la reconciliación, presente en la eucaristía, y contemplamos lo que el tiempo de la Cuaresma puede ser para nosotros, también estamos renovando los mismos ritos de reconciliación. Una dirección que parece reflejar la manera en que experimentamos el mal y la gracia de Dios nos lleva hacia los servicios comunitarios de reconciliación y penitencia. Tal vez estas celebraciones pueden asociarse con la Cuaresma o con otros días que nos motiven a esta experiencia (como lo eran los días de ayuno), de tal forma que los modelos para estas celebraciones se establezcan en la parroquia. Los ritos mismos, con la proclamación de la Escritura y mucho silencio, música apropiada y gestos de reconciliación, deben planearse y realizarse de buena manera, para que lleven en sí el peso de lo que ha sido expresado. Cada vez más, la gente está consciente de que el pecado no es algo que podemos separar en partes pequeñas, o en porciones individuales. Los prejuicios, el racismo, el hambre y la guerra, ponen en claro que el mal es contagioso y poderoso en nuestro mundo y que afecta a cada uno de nosotros. Estamos cada vez más acostumbrados a ver cómo nuestras vidas se desplazan en direcciones más amplias, a saber y experimentar que la manera en que compartimos en las buenas o en las malas no puede separarse de nuestra vida diaria; hay una interconexión entre todos estos elementos. Debemos esforzarnos por dejar que la gracia de Dios trabaje cada vez más en nuestra manera de ser y actuar.

Todo esto lo queremos expresar en el ritual. Algunas veces se realiza de manera excelente en celebraciones comunitarias dentro de la parroquia; en otras ocasiones es mejor una reunión sencilla entre la persona y un confesor. En el último caso, necesitamos explorar las posibilidades del nuevo rito, que enfatiza el momento de oración, la proclamación de la Escritura y la imposición de manos, así como el diálogo entre el penitente y el confesor.

La reconciliación, como todos los rituales de la Iglesia, es más que un ritual: es el estilo de vida de la Iglesia. La naturaleza de la Iglesia es sanación y reconciliación, y esto necesita reflejarse y experimentarse en todo lo que hace la parroquia. Todo pecador debe saber que será bien recibido en la comunidad, donde le espera la misericordia y la compasión. Por su parte, la comunidad no puede descansar hasta que la persona, alienada y abatida por el pecado, encuentre la reconciliación; la comunidad también está llamada a esparcir el mensaje de que el perdón y la sanación son dones que se dan libre y gratuitamente. Para aquellos que en ocasiones pretendemos no tener faltas o heridas, o que sanarán por sí solas, tenemos que darnos cuenta de que es una ilusión. Necesitamos la sanación y el perdón de Dios y necesitamos asegurarnos unos a otros que el perdón es real.

1. ¿Qué pueden hacer nuestras comunidades para desarrollar un sentido de importancia sobre los servicios comunitarios de reconciliación?

2. ¿Alguna vez tu parroquia ha utilizado "El rito de reconciliación para muchos penitentes con confesión y absolución individual", del Rito de la penitencia promulgado en 1974?

3. ¿De qué manera puede alimentarse un espíritu de reconciliación en la parroquia? ¿Cómo podemos ir más allá de una moral individualista?

4. ¿Conoces las oraciones eucarísticas para la reconciliación? ¿Se utilizan de manera apropiada y constante en tu parroquia?

La reconciliación es un don de Dios, un don que nos llama a una vida nueva. Es para nosotros la gracia de una esperanza renovada y de sanación que llega no sólo para un individuo, sino también para la comunidad entera. Pero este "don de Dios" también nos llama a un nuevo tipo de honestidad y confianza, lo cual demanda que reconozcamos nuestro propio pecado, y que proclamemos nuestra propia necesidad de conversión y tengamos el valor de hacer enmiendas por los pecados de nuestras vidas.

Gerald Barnes

Hay quienes, profesando opiniones amplias y generosas, sin embargo viven siempre como si no se preocuparan en lo absoluto de las necesidades de la sociedad. Más aun, muchos, en diferentes países, no estiman las leyes y las normas sociales. No pocos, con diversos fraudes y engaños, no dudan en evitar los impuestos justos u otras obligaciones debidas a la sociedad. Otros estiman poco algunas normas de la vida social, por ejemplo las establecidas para proteger la salud, o el código de circulación, sin darse cuenta que con semejante negligencia ponen en peligro su vida y la de otros.

Sea para todos algo inviolable considerar y observar las relaciones sociales como uno de los deberes principales del hombre de hoy. Pues cuanto más se unifica el mundo, tanto más abiertamente los deberes del hombre rebasan los grupos particulares y, poco a poco, se extienden al mundo entero. Esto no puede realizarse si cada hombre y cada grupo no cultivan en sí mismos y difunden en la sociedad las virtudes morales y sociales, de modo que surjan hombres realmente nuevos y artífices de la nueva humanidad, con el auxilio necesario de la gracia divina.

Constitución pastoral sobre la Iglesia en el mundo actual, *30*

Unción de los enfermos

Los grupos organizados para educarse, para jugar fútbol o, inclusive, para formar una caja de ahorro común, se dan cuenta y se preocupan cuando uno de sus miembros ha sido herido o está enfermo. Por nuestra parte, tenemos varias maneras de responder a esa situación: enviamos tarjetas o flores, llamamos por teléfono o vamos a visitarlos. Las palabras que utilizamos en tales situaciones siguen un modelo que es un tanto familiar para nosotros, como por ejemplo, ofrecer los buenos deseos, reafirmar el ánimo de la persona y de paso compartir algunos chistes. Percibimos que nuestra presencia, así como las palabras tan familiares que a menudo expresamos, son agentes de sanación en medio de la enfermedad.

Como Iglesia, por los profetas y por el mismo Jesús sabemos la importancia de la visita y del cuidado a los enfermos. En una manera organizada, éste ha sido uno de los grandes trabajos de la Iglesia: la fundación y el funcionamiento de hospitales a cargo de algunas congregaciones religiosas. La defensa de los enfermos e indefensos lleva a la Iglesia a condenar todo tipo de opresión.

Desde el inicio, siguiendo el ejemplo del cuidado que Jesús tuvo por los enfermos, la Iglesia se ha reunido para orar por los que sufren, para manifestar este cuidado, para facilitar que la Iglesia reunida (ya sean pocos o muchos) presente a los enfermos ante el Señor, para luego imponerles las manos. Esto trae un sentido de solidaridad con la persona enferma y con quienes gozan de salud. Posiblemente éste es nuestro símbolo más rico: el contacto corporal que establecemos con el enfermo en medio del silencio. Para quienes están enfermos, la imposición de manos clarifica una verdad fundamental: ellos nunca están solos, nunca están separados de la comunidad. Pero este gesto debe ser verdadero, y no debe darse como un elemento aislado de la vida de la comunidad. La Iglesia debe decir la verdad cuando impone sus manos. Esta acción no es sólo la "administración de un sacramento", sino que el sacramento incorpora lo que sucede entre el enfermo y la comunidad. El título del rito de la unción reafirma esta verdad: *Cuidado pastoral de los enfermos.*

La unción no es el único momento de oración por y con los enfermos. La parroquia ayuda a aquellos que desempeñan un ministerio especial con los enfermos a aprender a estar y a orar con ellos. El rito es muy claro al respecto: el ritual de la unción es parte de una colección de ritos llamada *Cuidado pastoral de los enfermos: Ritos de la unción y del viático.* Constatamos que la unción es sólo un momento de oración con los enfermos. Los ministros parroquiales que cuidan de los enfermos les llevan la sagrada comunión, los visitan y oran con ellos y por ellos. Los sacerdotes, diáconos y ministros que cuidan de los enfermos necesitan un conocimiento firme y sustancioso de las particularidades de estos ritos para los enfermos y los agonizantes, los cuales fueron publicados en 1983.

Los miembros de una comunidad eclesial necesitan saber que este sacramento, y los otros momentos de oración que lo rodean, debe celebrarse cuando hay una enfermedad seria de cualquier tipo, y que tanto la persona más joven como la más anciana necesitan esta oración de la Iglesia. El aprendizaje de los detalles de este sacramento puede darse a través de la práctica de celebraciones comunitarias debidamente preparadas, donde muchos enfermos y personas ancianas se reúnen con otros miembros de la Iglesia. En un asilo o en una casa parroquial, la comunidad se reúne para orar con y por los enfermos y ancianos. Estas ocasiones requieren de una planeación cuidadosa (no sólo de la liturgia, sino de la transportación y los detalles prácticos dentro de la iglesia), eventualmente, esta experiencia puede transformarse en una expresión común de la vida de la Iglesia.

Una forma en que la comunidad puede expresar su cuidado y preocupación por los miembros que están enfermos, es por medio de la planeación de una celebración comunitaria de la unción de los enfermos dentro de la celebración eucarística. Aquí, en la iglesia parroquial, la persona que ha sido ungida puede experimentar profundamente el amor y el cuidado de la familia cristiana. Esto requiere algo más que la planificación de la celebración. Antes de la liturgia, debe haber comunicación con las personas que serán ungidas. Se deben hacer los arreglos necesarios para la transportación. Además, ésta es una brillante oportunidad para invitar a la asamblea a que participe en el ministerio del cuidado con los enfermos.

1. Piensa en la fuerza que tiene el contacto físico. ¿Qué significa esto para ti en medio de la enfermedad, o cuando tú ayudas a que una persona sane por medio de este contacto?

2. ¿Qué repercusiones tendrá una celebración comunitaria de la unción de los enfermos en el concepto que la gente tiene de este sacramento?

3. ¿Existe un tiempo o algún día apropiado dentro del año para una planeación y celebración de la liturgia de la unción de los enfermos?

4. ¿Qué tipo de catequesis necesitamos hacer para que los miembros de nuestra comunidad vean la liturgia de este sacramento como una acción de sanación y fortalecimiento en medio de la enfermedad, y no como una insinuación de que están a las puertas de la muerte?

Nunca he estado en ninguna parte, sino que he estado enfermo. En cierto sentido la enfermedad es un lugar, más instructivo que un viaje a Europa, y es siempre un lugar donde no hay compañía, donde nadie puede seguirnos. La enfermedad antes de la muerte es una cosa muy apropiada y creo que quienes no la experimentan se pierden de la misericordia de Dios.

Flannery O'Connor

Solamente la presencia fuerte de Cristo, que nos da la seguridad de su presencia, nos dice: ¡No tengas miedo!, él es capaz de permitir al enfermo y a quienes sufren con él, sobrellevar la tremenda carga del dolor.

Por eso, la unción de los enfermos se ofrece como consuelo restaurador que abre nuestros ojos cuando desearíamos cerrarlos para siempre. Y, al abrirlos, descubrimos que Jesús jamás dejó de estar a nuestro lado.

Héctor Muñoz, OP

Funerales

Los ritos de la comunidad responden a diferentes propósitos: el nacimiento, el matrimonio y también la muerte. En gran medida, convergen en la manera en que el grupo entiende la muerte, y en la relación que existe entre los vivos y muertos. También habrá algunos puntos de convergencia en lo que significa la vida como tal para cada persona. Los ritos llevan en sí mismos el momento de transición de la vida con la persona presente en medio de la comunidad y, luego, con la ausencia de esta persona. Esta experiencia afirma lo que sabemos: la muerte ordinariamente reúne al grupo (familia, barrio, Iglesia) y lo lleva a una forma de ser y actuar diferente. Los cambios son siempre muy difíciles. Son un reto a la misma existencia del grupo, a su identidad como tal. Por lo menos, despiertan la conciencia de la gente, la motivan a tomar nuevas funciones y la llevan a nuevos entendimientos de la vida misma.

Sin embargo, los ritos no pueden ni deben ser lineamientos lógicos que respondan a cada situación particular. Al contrario, son maneras un tanto espontáneas por medio de las cuales las personas realizan para sí mismas todas estas cosas, y estos mismos rituales realizan su función en la intimidad de la persona, a un nivel más profundo que lo lógico y racional.

Estos ritos que rodean la experiencia de la muerte manifiestan claramente un problema dentro de la cultura estadounidense. Las prácticas usuales en las funerarias y cementerios presentan ciertos mensajes sobre el sentido de la muerte, sobre la persona que muere y sobre la manera en que ésta se sobrelleva tal sufrimiento. Es muy raro que estas ideas guarden alguna relación con las convicciones expresadas en los rituales de la Iglesia. Las parroquias que se ocupan de dar seguimiento a la celebración del ritual eclesial y que buscan la manera en que éste puede ser más fuerte y exprese dignamente nuestra fe, estudian cuidadosamente los ritos y las múltiples opciones disponibles en el *Ritual de Exequias Cristianas,* forman un grupo de ministerio con personas que puedan acompañar a la familia en esta experiencia de sufrimiento y hacer suya la riqueza del ritual; buscan educar pastoralmente a la persona a cargo de la funeraria y del cementerio en lo que a la práctica de la Iglesia se refiere; motivan a reflexionar durante el mes de noviembre en la experiencia de la muerte a la luz de la comunión de los santos.

La oración de la Iglesia por los agonizantes no es la "extremaunción", que ahora es entendida y practicada como la unción de los enfermos, sino el viático, la comunión final. Hay que decir que en nuestra tradición existen muchas oraciones realmente hermosas que alaban a Dios por el amor que ha manifestado en la vida de esta persona y que expresan una confianza profunda en la comunión de los santos, la comunidad que ha trascendido la experiencia de la muerte. Estas oraciones continúan durante la hora de la muerte y pueden terminar con la bendición del cuerpo. En algunos casos, el diácono o un sacerdote está presente, pero debemos estar conscientes de que estas oraciones son oraciones para la familia y los amigos más cercanos.

El velorio y los servicios funerarios son una combinación de momentos estructurados y no estructurados. El ritual debe estar en continuidad con los momentos menos formales de reunión y saludo, del compartir historias y memorias, así como del ofrecimiento del pésame y apoyo a los dolientes. La experiencia de velar a un difunto es mucho más íntima que el mismo sepelio, pues la velación se centra en la persona que ha fallecido. La velación puede ser un buen inicio para el largo proceso por venir, en el cual la vida se torna diferente a partir de la experiencia de la muerte de la persona que se ha ido de nuestro lado. En el mismo velorio, la comunidad manifiesta su apoyo, el apoyo que estará ahí en las semanas y los meses venideros.

La liturgia de exequias, que usualmente toma lugar dentro de la celebración eucarística, da la oportunidad a los familiares y dolientes de elegir las lecturas que desean que se proclamen, así como los cantos y otros elementos variables de la liturgia. En esta liturgia, y en los rituales que toman lugar al pie de la tumba, la Iglesia experimenta un rompimiento y una comunión en tensión: hay una encomendación final a la misericordia del Señor, de la persona que ha fallecido, y la realidad misma de la tumba, al mismo tiempo que nos consolamos mutuamente por medio de nuestra fe en la comunión de los santos y en nuestra espera en la resurrección de los muertos y la vida del mundo futuro. Los ritos toman estos elementos y los fortalecen de manera única por medio de su expresión en el canto, la palabra y el gesto.

1. La familia de alguien que ha muerto, y todos los amigos de esta persona que forman la comunidad, quieren un buen funeral. ¿Qué implica esto? ¿Has participado en un funeral con buena liturgia? ¿Qué hizo que éste fuera un buen funeral?

2. Nuestros ritos no son un intento de evitar el dolor. Nuestra liturgia no niega la pérdida y el vacío que experimentamos. Después del velorio, se ayuda a los familiares y amigos a asimilar la experiencia de la muerte. Necesitan una oportunidad de compartir en voz alta los recuerdos de la persona que ha fallecido. La historia de una persona cristiana que ha muerto merece y necesita ser contada: los familiares y amigos no deben de dejar toda esta tarea al sacerdote o diácono, quien posiblemente no haya conocido bien al difunto. El ritual de exequias cristianas sugiere que al final de la encomendación que se hace en la iglesia, la familia se dirija a las personas que se han reunido. Los familiares y amigos no están sujetos al ritual de exequias, pero se incluyen en los ritos y oraciones, para que la liturgia de la Iglesia los ayude en la experiencia de la muerte.

    ¿De qué manera podemos contribuir a que la familia participe dentro de la liturgia exequial y del velorio? ¿En la iglesia? ¿En el cementerio?

3. Aparte de los rituales populares y oficiales que envuelven la experiencia de la muerte, ¿De qué manera la parroquia puede implementar y fomentar una espiritualidad sobre la muerte? Reflexiona acerca de esta experiencia y sobre la forma en que la parroquia puede ampliar su ministerio con los dolientes.

Todo lo que florece en tu estera y en tu silla,
la nobleza en el campo de la guerra,
con la que se enlaza el señorío y el mando,
tus flores de guerra . . .
sólo son secas flores.
Estoy embriagado, lloro, me aflijo,
pienso, digo,
en mi interior lo encuentro:
si yo nunca muriera,
si nunca desapareciera.
Allá dónde no hay muerte,
allá donde ella es conquistada,
que allá vaya yo.
Si yo nunca muriera,
si yo nunca desapareciera.
¿A dónde iremos
donde la muerte no exista?
Mas ¿por esto viviré llorando?
Que tu corazón se enderece:
aquí nadie vivirá para siempre.
Aun los príncipes a morir vinieron,
hay incineramiento de gente.
Que tu corazón se enderece:
aquí nadie vivirá para siempre.
Por fin lo comprende mi corazón:
escucho un canto,
contemplo una flor,
¡ojalá no se marchiten!
No acabarán mis flores,
no cesarán mis cantos.
Yo cantor los elevo,
se reparten, se esparcen.
Aun cuando las flores
se marchitan y amarillecen,
serán llevadas allá,
al interior de la casa
del ave de plumas de oro.
Nezahualcóyotl

Conclusión

En 1973, la Sagrada Congregación para el Culto y la Disciplina de los Sacramentos, con sede en el Vaticano, publicó un documento llamado *Directorio de Misas para Niños.* Lo que dice este documento tiene que ver más allá de la planeación de las Misas con niños. Es importante para cualquier consideración sobre cómo ora la Iglesia.

En los párrafos introductorios, el documento hace algunas declaraciones sobre la creación de todo el ambiente, de un estilo de vida en el cual la oración sea posible y real para los niños o para cualquiera de nosotros. "La Iglesia, que bautiza a los niños confiada en las gracias que da este sacramento, debe procurar que los niños crezcan en su comunión con Cristo y con los hermanos; signo y prenda de esta comunión es la participación en la mesa eucarística para la cual se prepara a los niños, y para cuya plena comprensión se les educa. Esta formación litúrgica y eucarística no puede desvincularse de su educación general, tanto humana como cristiana; más aun, sería perjudicial si la formación litúrgica careciera de este fundamento" (*Directorio de Misas para Niños,* 8).

La preparación para la oración de la eucaristía no es aprender *sobre* la liturgia eucarística; es simplemente aprender a orar, a sentirnos en casa con todos los gestos y cantos que implican nuestros rituales. Pero esto no es algo que puede existir en un mundo diferente, en una realidad aparte. Por ejemplo, la santidad de la mesa que utilizamos como altar en la liturgia y el compartir el pan y el vino no es un aprendizaje aislado. El sentido de esa santidad, depende de que el niño (o cualquier persona) experimente en la familia un sentido de la santidad de cualquier comida que tenemos y de la acción de compartir que toma lugar a diario en nuestros hogares. Cuando estas experiencias son realmente profundas y ricas, una persona puede desarrollar por naturaleza una buena idea sobre lo que realizaremos alrededor de la mesa eucarística. Sin eso, la liturgia necesariamente se convierte en una acción apartada de lo que es y hace la persona.

Esta acción coloca nuestra oración en un contexto más amplio y más realista. Enseñar a los niños a orar, por ejemplo, no es cuestión de que primero aprendan a rezar la oración del Señor, o reunir sin falta a la familia para participar en la Misa dominical. Es cuestión de una manera de vida: ¿Qué cosas son importantes para la familia? ¿De qué manera la oración nos ayuda a centrarnos en ellas? Un canto junto con la acción de compartir los alimentos, la acción de gracias y la intercesión al momento de dormir, el tiempo destinado a leer y a reflexionar las Escrituras dominicales y las costumbres y oraciones que dan un tinte especial al tiempo litúrgico que vivimos. Estos elementos enseñan a los niños a orar cuando son importantes para los padres de familia durante el transcurso ordinario de su vida. Día tras día, semana tras semana, dichos elementos reflejan un gran sentido de la presencia de Dios que llena toda nuestra vida.

Cuando la gente se reúne para celebrar la eucaristía, el *Directorio* nos dice que hay algunos aspectos que deben observarse: "Por tanto, quienes tienen a su cargo la educación de los niños, procuren aunar sus esfuerzos y dialogar para que los niños, aunque ya tengan un cierto sentido de Dios y de las cosas divinas, experimenten también, según su edad y su desarrollo personal, los valores humanos inherentes a las acciones litúrgicas, como son: las acciones comunitarias, los saludos, la capacidad de escuchar, de pedir perdón o de darlo, el saber dar las gracias, la experiencia de las acciones simbólicas, de una reunión de amigos, de la celebración de una fiesta, etcétera" (*Directorio de Misas para Niños*, 9). Esta lista impresionante simplemente describe la experiencia humana. Podemos o no verbalizar esta experiencia, después de la Misa dominical debemos tener el sentimiento de haber participado en una comida de amistad, en una verdadera fiesta. Debemos sentir que verdaderamente hemos puesto palabras y gestos a nuestra acción de gracias dirigida a Dios. El *Directorio* nos pide que tengamos cuidado con el lenguaje teológico y con el nivel espiritual, al compartir lo sucedido en la Misa, si no hemos tenido primero la experiencia humana sobre la cual se basa en todo lo demás.

Y éste ha sido el elemento unificador a lo largo de todas estas páginas: descubrir lo mucho que sabemos y sentimos sobre un buen ritual, pero que no siempre es traído a nuestra liturgia porque no hemos hecho las conexiones debidas con la vida diaria, o porque hemos pensado que la oración de la Iglesia es sólo una cuestión de historia, documentos y rúbricas. No. La oración de la Iglesia es mucho más una cuestión real de la gente, de la esencia de su espíritu y gracia. De la persona interpelada por el Espíritu Santo que ora en ella con gemidos inenarrables, en la que, a fin de cuentas, como afirmó Karl Rahner: "El cristiano del futuro será un místico o no será nada". Y el místico es aquél o aquélla que asume el mundo en su encuentro amoroso, personal y comunitario, con Cristo, el mismo ayer, hoy y siempre.

Recursos

Los Documentos Litúrgicos: Un recurso pastoral. Chicago: Liturgy Training Publications, 1998. Este libro contiene los documentos fundamentales de la liturgia: *Constitución sobre la Sagrada Liturgia, La Instrucción General para el Uso del Misal Romano, Ordenación de las lecturas de la Misa, Normas Universales sobre el Año Litúrgico y sobre el Calendario, Directorio para Misas con Niños, La Música en el Culto Católico, La Música Litúrgica Hoy, La Ambientación y el Arte en el Culto Católico, La Liturgia Romana y la Inculturación.* Además, presenta extractos de otros documentos que hacen referencia al tema de la liturgia y la inculturación. A saber: *Medellín, Puebla, Santo Domingo, La Presencia Hispana* y el *Plan Nacional para el Ministerio Hispano.* Cada documento está precedido por un preámbulo que hace notar el origen, los puntos fuertes y las implicaciones y desafíos que ha tenido la Iglesia.

El manual de la sacristía. Escrito por Thomas G. Ryan. Chicago: Liturgy Training Publications, 2000. Baracaldo, Vizcaya: Grafite Ediciones, 2000. Este libro contiene algo más que listas. Su información le ayudará a dar un fascinante recorrido al interior de la iglesia y de los elementos que se requieren para cada una de las celebraciones litúrgicas. De igual manera, trata de los elementos que conforman el espacio de oración, su origen histórico, evolución y razón pastoral de ser.

Manual para Proclamadores de la Palabra. Chicago: Liturgy Training Publications. En este libro, cada una de las lecturas aparece dividida de acuerdo a la idea central del texto. Con la separación en párrafos adentrados, la idea central se refuerza y así el ministro de la Palabra podrá realizar mejor su servicio a la Iglesia. Cada lectura está acompañada de un comentario marginal que presenta algo de interpretación bíblica, así como de contexto histórico. En la parte derecha del formato aparecen sugerencias prácticas para el momento de la proclamación, marcando claramente los énfasis y las pausas de cada lectura.

Palabra de Dios. Chicago: Liturgy Training Publications. Una reflexión profunda sobre el Evangelio de cada domingo, adaptada a las circunstancias de la comunidad hispana de este país. Además, la reflexión en sí misma lleva al lector a orar con las Escrituras dominicales que se proclaman en la asamblea litúrgica. *Palabra de Dios* contiene también un segmento práctico titulado "viviendo nuestra fe" que conduce a una aplicación concreta de las lecturas dominicales en nuestra vida cristiana. Se añaden algunas preguntas para reflexionar y los textos bíblicos correspondientes a las lecturas diarias que aparecen en el Leccionario. Los textos de la Escritura corresponden al Leccionario mexicano. Ideal para Comunidades Eclesiales de Base, grupos de oración, grupos bíblicos, programas de catecumenado y para proclamadores de la Palabra.

Guía para la asamblea. Escrita por el Cardenal Joseph Louis Bernardin. Chicago: Liturgy Training Publications. Su primera carta pastoral como arzobispo de Chicago, se publicó originalmente bajo el título *Nuestra Comunión, Nuestra Paz, Nuestra Promesa.* El Cardenal Bernardin plantea la necesidad de hacer de la eucaristía dominical el centro de la vida cristiana, enfatizando en la experiencia de la historia de la Iglesia y en los aportes que trajo la reforma litúrgica del Concilio Vaticano II. Es un gran recurso para los ministros que están envueltos en la planeación y ejecución de la liturgia.

Guía para la Misa Dominical. Escrita por el Cardenal Roger M. Mahony, arzobispo de Los Ángeles. Chicago: Liturgy Training Publications. Su tema central es la liturgia dominical. En ella, el cardenal habla del vigor de la asamblea y de la belleza y el ritmo de sus movimientos y acciones. Presenta algunas sugerencias para retomar el "Día del Señor" y celebrar apropiadamente la liturgia, y así seguir siendo un pueblo al servicio del Señor para que, desde la experiencia de la liturgia, podamos transformar el mundo.

Guía para ministros de la comunión. Escrita por Victoria M. Tufano, traducción de Gerardo Quintanar. Chicago: Liturgy Training Publications. Esta guía es básica para las personas que distribuyen la comunión durante la celebración eucarística, así mismo para quienes la llevan a los enfermos o a los confinados en casa. La autora, quien ha sido ministro de comunión por muchos años, presenta una introducción que resalta la importancia de este ministerio en la vida de la Iglesia, su origen y desarrollo a lo largo de la historia. Además, presenta muchas sugerencias prácticas para su realización plena.

Guía para los diáconos en la liturgia. Escrita por Richard Vega. Chicago: Liturgy Training Publications. Desde su experiencia pastoral y trabajo con los diáconos, el autor presenta la importancia de este ministerio como parte de la identidad de la Iglesia, manifestada en un triple ministerio: la predicación, el servicio y la justicia.

Planteando la función de los diáconos en esta triple misión de la Iglesia, hace un fascinante recorrido por la historia y resalta los cambios que fueron moldeando lo que ahora es el diaconado. Entre los temas que incluye esta guía están: historia del diaconado, las funciones litúrgicas del diácono, y el ministerio diaconal en la vida parroquial, retos y desafíos para el futuro del diaconado.

Guía para patrocinadores del catecumenado. Escrita por Ronald Lewinski, traducción de Pedro Rodríguez, CMF. Chicago: Liturgy Training Publications. Esta guía ofrece a los patrocinadores de los catecúmenos actividades y oraciones para ayudar en el proceso, y para escuchar y compartir con sus candidatos. Este libro es para quienes llevan el ministerio de asesoramiento y formación dentro de la comunidad hispana.

Guía para la santificación del domingo. Carta apostólica *Dies Domini.* Escrita por el Papa Juan Pablo II. Chicago: Liturgy Training Publications. Presenta una reflexión teológica sobre la importancia y significado del domingo como el "día del Señor" en la vida de la Iglesia primitiva y en la Iglesia de hoy. Al celebrar plenamente el domingo, dice el Papa, nuestras relaciones y nuestra vida entera no pueden más que hacerse más profundamente humanas.

Hagan lo mismo que Yo hice con ustedes. Carta pastoral del Cardenal Roger M. Mahony sobre el ministerio. Chicago: Liturgy Training Publications. Presenta una visión clara del ministerio ordenado y laico. Al mismo tiempo, es una invitación y desafío a responder a las necesidades concretas de una Iglesia particular, como lo es su arquidiócesis. Aun así, esta carta presenta un valiente desafío a toda la Iglesia, bajo una nueva misión de todos los ministerios que forman parte de la Iglesia, especialmente la vocación y misión de los laicos en la Iglesia de hoy. Edición bilingüe, inglés-español.

Primero Dios: Hispanic Liturgical Resource. Escrito por Mark R. Francis, CSV, y Arturo J. Pérez-Rodríguez. Chicago: Liturgy Training Publications. Este libro está dirigido a aquellas personas que realizan su ministerio dentro de las comunidades hispanas de Estados Unidos de Norteamérica. Presentando situaciones pastorales que surgen en las parroquias, el libro es un puente magnífico entre los rituales oficiales de la Iglesia y las tradiciones del pueblo hispano. Siendo práctico e informativo, presenta los momentos más importantes en la vida de la persona, en el contexto de la cultura hispana, facilita un ritual bilingüe que ayuda a su celebración.

La Navidad Hispana: At Home and at Church. Escrito por Miguel Arias, Mark R. Francis, CSV, y Arturo J. Pérez-

Rodríguez. Chicago: Liturgy Training Publications. Siguiendo la misma metodología del libro *Primero Dios: Hispanic Liturgical Resource,* esboza algunas de las diversas situaciones pastorales que se presentan en la parroquia de "San Martín", una parroquia verdaderamente multicultural. ¿Cómo celebrar Guadalupe en medio del Adviento? ¿Cómo intercambiar las tradiciones hispanas, tan diversas en sí mismas? ¿Cómo unir estas tradiciones a las de los demás grupos étnicos que conforman la parroquia? Este libro presenta rituales y rúbricas bilingües que ayudarán a quien esté a cargo de las celebraciones navideñas de la parroquia. Un buen diálogo entre lo popular y lo oficial.

Directorio General para la Catequesis. Washington, D.C. Conferencia Católica de Estados Unidos. De absoluta necesidad para todo líder catequético. Este nuevo directorio sucede a la edición de 1971, se ha actualizado tomando en cuenta al nuevo catecismo de la Iglesia Católica y presenta temas para redactar catecismos nacionales así como directorios catequéticos.

Rito de la Iniciación Cristiana de Adultos. Washington, D.C. Conferencia Católica de Estados Unidos. Es el texto oficial que contiene el ritual y el documento del RICA. Su presentación es excelente, tanto la edición ritual como la edición de estudio. Edición en inglés y español.

Los Ministros de la comunión a los enfermos. Chicago: Liturgy Training Publications. Reflexiones elementales sobre la comprensión del ministerio de cuidado y atención a los enfermos, presenta algunas situaciones pastorales. Incluye también algunos esquemas de celebración para dar la comunión a la persona enferma, así como oraciones populares.

Cuidado pastoral de los enfermos / Pastoral Care of the Sick. Chicago: Liturgy Training Publications. Bilingüe (inglés–español) contiene los ritos de visita, comunión y unción de los enfermos, y oraciones para los moribundos. Para quienes sirven como ministros al pueblo hispano. La introducción a los ritos aparece solamente en inglés.

La inculturación litúrgica en los Estados Unidos, Shape a Circle Ever Wider, por Mark R. Francis, CSV. Prólogo de Ansgar Chapungco, OSB. Chicago: Liturgy Training Publications, 2000. Por el momento, disponible sólo en inglés.

Celebraciones multiculturales: Una guía por Mark R. Francis, CSV. © Federation of Diocesan Liturgical Commissions (FDLC), 415 Michigan Avenue, NE, Washington, D.C. 20017-1557, (202)635-6990. Todos los derechos reservados. Disponible también en inglés.

Quinceañera, Celebration of life, Celebración de la vida. Mexican American Cultural Center. Este libro bilingüe ofrece los lineamientos para la celebración de los

Quince Años. Ha sido diseñado para el servicio de quienes presiden y preparan esta celebración, aunque también ayudará a los ministros interesados en una mayor comprensión de dicha celebración. Disponible en la librería del Mexican American Cultural Center, San Antonio, TX teléfono: (210)732-2156.

Misa, Mesa y Musa: Liturgy in the U.S. Hispanic Church. Recopilado y editado por Ken Davis, OFM Conv, © 1997. Schiller Park, IL: World Library Publications, a division of J.S. Paluch Company. Disponible sólo en inglés.

Revistas

¡Gracias! Chicago: Liturgy Training Publications. La primera revista bilingüe de pastoral litúrgica de los Estados Unidos. Dedicada al ministerio de la liturgia, *¡Gracias!* se enfoca en los asuntos prácticos y culturales que envuelve la celebración del Misterio Pascual de Cristo. Presenta artículos regulares, tales como: ministerios, RICA, música y "Cartas a mi tío Toño". Se publica seis veces por año.

Actualidad litúrgica. México, D.F. Obra Nacional de la Buena Prensa, A.C. Revista bimensual que contiene artículos de formación e información litúrgica y proyectos de homilía).

Videos

A Sacramental People/Un pueblo sacramental. Chicago: Liturgy Training Publications. Esta serie de tres video-casetes, disponible en inglés y en español, es un complemento del libro *Primero Dios: A Hispanic Liturgical Resource* que visualiza la integración y celebración de la religiosidad popular hispana en diálogo con los ritos oficiales de la Iglesia. Por medio de ellos, los ministros descubrirán la riqueza de la combinación entre la cultura y la liturgia. El videocasete 1 contiene la introducción y la primera comunión; el videocasete 2, la presentación del niño y los quince años; el videocasete 3, la boda y el pésame. Disponibles en inglés y español.

Proclamadores de la Palabra. Chicago: Liturgy Training Publications. Esta videograbación, única en su género, resalta la importancia de la conexión entre el ministerio de proclamación y la vida diaria. Presentando la experiencia de diferentes proclamadores de la Palabra, conduce al proclamador a una reflexión más profunda sobre su ministerio y la importancia de aprender nuevas técnicas de proclamación. Disponible en inglés bajo el título *Proclaiming the Word.*

Video Guía para ministros de la comunión. Chicago: Liturgy Training Publications. Esta producción explora las dimensiones espirituales y el significado de este ministerio, además de los aspectos prácticos de su ejercicio dentro de la liturgia de comunión. Muy ilustrativo en sus imágenes, resalta de igual manera la necesidad de estable-cer un contacto verdadero con la persona comulgante. Disponible en inglés.

Video guía para reúnanse fielmente en asamblea. Chicago: Liturgy Training Publications. La videograbación es la versión fílmica de la carta pastoral del Cardenal Roger M. Mahony, arzobispo de Los Ángeles, sobre la liturgia. Con la fuerza de sus imágenes, desafía a la asamblea a una mayor creatividad y participación en la liturgia. Disponible en inglés.

La celebración de la Misa hoy. Chicago: Liturgy Training Publications. Es interesante porque lleva a la audiencia a un paseo al interior de la celebración eucarística en cada una de sus partes. Hoy por hoy, probablemente es la presentación más fina y precisa de lo que es la eucaristía contemporánea. Incluye una guía para dialogar en el grupo.

Ésta es la noche. Chicago: Liturgy Training Publications. Con imágenes totalmente impresionantes, explora a fondo la riqueza de los rituales que conforman el bautismo de adultos. Quienes se envuelven en este proceso describen su experiencia dentro de la Iglesia y la impli-cación que esto ha tenido en su propia vida. Además, muestra la vitalidad de una parroquia que hace de la iniciación cristiana parte elemental de su programa de evangelización.

Nueva vida. Chicago: Liturgy Training Publications. Presenta la celebración del bautismo por inmersión en el contexto de la liturgia dominical. La participación de toda la asamblea es clave en la recepción de los nuevos cris-tianos y en la aceptación de los compromisos que realizan padres y padrinos. Recurso ideal para el equipo de preparación bautismal.

La Gran Posada. ¡Goce de la celebración tradicional de una Posada encarnada en una nueva realidad! Producido por el Mexican American Cultural Center, San Antonio, TX Teléfono: (210)732-2156.

El alma del pueblo. Una producción excelente en su historia e imágenes que le llevará a un recorrido espiritual en la experiencia de la semana santa del pueblo. Producido por Mexican American Cultural Center. San Antonio, TX, teléfono: (210)732-2156.

Citas

Página v, *La Ambientación y el Arte en el Culto Católico*, página 9, © United States Catholic Conference, Inc. (USCC). Publicado con la licencia debida. Todos los derechos reservados.

Página 3, Romano Guardini, *The Spirit of the Liturgy*. Traducido por por Ada Lane. New York: Sheed and Ward, 1935. German publication: 1918. Reimpreso con el permiso de Sheed and Ward, Apostolado de los Sacerdotes del Sagrado Corazón, 7373 South Lovers Land Road, Franklin, Wisconsin 53132.

Página 5, Leonardo Boff, *Los sacramentos de la vida y la vida de los sacramentos. Minima sacramentalia.* Traducido por María Agudelo. Bogotá, Colombia. Indo American Press Service, Apartado aéreo 53274, 1975, página 13. Publicado con las licencias debidas.

Página 5, Aidan Kavanaugh, *Elements of Rite: A Handbook for Liturgical Style.* New York: Pueblo, 1982, página 103. Publicado con las licencias debidas.

Página 7, Puebla, 918. III Conferencia del Episcopado Latinoamericano. Librería Parroquial de Clavería, S.A. de C.V., 1984.

Página 7, Juan J. Sosa. *El Cuerpo de Cristo: The Hispanic Presence in the U.S. Catholic Church.* Editado por Peter Casarella y Raúl Gómez, SDS. New York, N.Y., The Crossroad Publishing Company, página 73. Publicado con las licencias debidas.

Página 9, *Constitución sobre la Sagrada Liturgia*, página 26, © Ciudad del Vaticano,1965. Librería Editrice Vaticana, Congregación para el Culto Divino y la Disciplina de los Sacramentos. *Los Documentos Litúrgicos: Un recurso pastoral.* Liturgy Training Publications, 1998, página 17.

Página 9, *La Ambientación y el Arte en el Culto Católico*, página 5, © United States Catholic Conference, Inc. (USCC). Publicado con la licencia debida. Todos los derechos reservados. *Los Documentos Litúrgicos: Un recurso pastoral.* Liturgy Training Publications, 1998, página 267. Publicado con las licencias debidas.

Página 13, Aelred Rosser, *A Well-Trained Tongue.* Chicago: Liturgy Training Publications, 1996, página 3.

Página 13, Leonardo Boff, *Los sacramentos de la vida y la vida de los sacramentos. Minima sacramentalia.* Traducido por María Agudelo. Bogotá, Colombia. Indo American Press Service. Apartado aéreo 53274, 1975, página 57.

Página 15, Mark Searle, *Christening: The Making of Christians.* Collegeville: The Liturgical Press, 1980, página 51. Publicado con las licencias debidas.

Página 15, Oscar A. Romero, Homilía, 7 de enero de 1979. *Mons. Oscar A. Romero, su pensamiento*, Tomo VI. Copyright © Publicaciones Pastorales del Arzobispado, segunda edición. San Salvador, El Salvador. C. A., página 99.

Página 17, Arturo J. Pérez-Rodríguez. Artículos no publicados. 2000.

Página 19, Janet Schlichting, "Processing", publicado en *Assembly* (Diciembre, 1979).

Página 19, David García, *"La Semana Santa en San Fernando",* publicado en *¡Gracias!* (Marzo/Abril 1999).

Página 21, Romano Guardini, *Sacred Signs.* St. Louis: Pío Décimo Press, 1956, páginas 13–14.

Página 23, Juan J. Sosa, *Los Documentos Litúrgicos: Un recurso pastoral.* Chicago: Liturgy Training Publications, 1998. Página 214.

Página 25, *Constitución sobre la Sagrada Liturgia,* 114. En *Los Documentos Litúrgicos: Un recurso pastoral.* Liturgy Training Publications, 1998, página 33, © 1965. Librería Editrice Vaticana, Ciudad del Vaticano, Congregación para el Culto Divino y la Disciplina de los Sacramentos.

Página 25, Juan J. Sosa, *María y la música,* publicado en *¡Gracias!* (Mayo/Junio 1999).

Página 27, *La Música Litúrgica Hoy,* páginas 47–48, © 1982. USCC. Reproducido con las licencias debidas. Todos los derechos reservados. En *Los Documentos Litúrgicos: Un recurso pastoral,* Chicago: Liturgy Training Publications, 1998, páginas 250–251. Publicado con las licencias debidas.

Página 29, Marty Haugen, "All are Welcome", 173, en *Gather Comprehensive.* Chicago: GIA Publications, Inc., 1994, © 1994 by GIA Publications.

Página 31, *La Ambientación y el Arte en el Culto Católico,* páginas 19–21, © 1978. USCC. Reproducido con las licencias debidas. Todos los derechos reservados. En *Los Documentos Litúrgicos: Un recurso pastoral,* Chicago: Liturgy Training Publications. 1998, páginas 270–271. Publicado con las licencias debidas.

Página 33, *La Ambientación y el Arte en el Culto Católico,* página 4, © 1978. USCC. Reproducido con las licencias debidas. Todos los derechos reservados. En *Los*

Documentos Litúrgicos: Un recurso pastoral: Liturgy Training Publications. 1998. Página 267. Publicado con las licencias debidas.

Página 35, Juan Pablo II, *Dies Domini, 52. Guía para la santificación del domingo.* Chicago: Liturgy Training Publications, 1999, página 40.

Página 37, Romano Guardini, *The Spirit of the Liturgy.* Traducido por Ada Lane. New York: Sheed and Ward, 1935. Edición en alemán: 1918. Reimpreso con el permiso de Sheed and Ward, apostolado de los sacerdotes del Sacred Heart, 7373 South Lovers Land Road, Franklin, Wisconsin 53132.

Página 39, Cardenal Rogelio Mahony, *Reúnanse Fielmente en Asamblea: Guía para la Misa Dominical.* Liturgy Training Publications, 1997, página 10.

Página 41, Dane R. Francis, csv. *Shape a Circle Ever Wider, liturgical Inculturation in the United States,* Chicago: Liturgy Training Publications, 2000, página 5.

Página 41, *La Liturgia Romana y la Inculturación,* página 5, © 1994. Librería Editrice Vaticana, Ciudad del Vaticano, congregación para el culto divino y la disciplina de los sacramentos.

Página 45, Mary Collins.

Página 47, *La Ambientación y el Arte en el Culto Católico,* páginas 28—29, © 1978. USCC. Reproducido con las licencias debidas. Todos los derechos reservados. En *Los Documentos Litúrgicos: Un recurso pastoral,* Liturgy Training Publications. 1998, página 272. Publicado con las licencias debidas.

Página 47, Oscar Arnulfo Romero. *Día a día con Monseñor Romero, meditaciones para todo el año.* © Publicaciones pastorales del arzobispado. Arquidiócesis de San Salvador, El Salvador, C. A., 2000, página 171.

Página 49, Robert Hovda. *Strong, Loving and Wise.* Washington, D.C.: The Liturgical Press, Todos los derechos reservados. Publicado con las licencias debidas.

Página 51, Austin Fleming, *Preparing for Liturgy.* Chicago: Liturgy Training Publications, 1997, página 117.

Página 53, Cardenal Joseph Louis Bernardin, *Guía para la asamblea.* Chicago: Liturgy Training Publications, 1997, página 14.

Página 53, Oscar Arnulfo Romero, *Día a día con Monseñor Romero, meditaciones para todo el año.* © Publicaciones pastorales del arzobispado. Arquidiócesis de San Salvador, El Salvador, C. A. 2000, página 74.

Página 55, Gabe Huck, *Sourcebook on Music.* Chicago: Liturgy Training Publications. Página 121.

Página 55, *La Música Litúrgica Hoy,* página 47, © 1982. USCC. Reproducido con las licencias debidas. Todos los derechos reservados. En *Los Documentos Litúrgicos: Un recurso pastoral.* Chicago: Liturgy Training Publications, 1998, página 250. Publicado con las licencias debidas.

Página 55, Diana Kodner, *Handbook for Cantors,* revised edition. Chicago: Liturgy Training Publications, 1998, página 5.

Página 57, Aelred Rosser, *A Well-Trained Tongue.* Chicago: Liturgy Training Publications, 1996, página 1.

Página 59, Cardenal Roger Mahony, *Hagan lo mismo que Yo hice con ustedes,* 61. Chicago: Liturgy Training Publications, 2000, página 25.

Página 61, David Philippart, *Saving Signs, Wondrous Words.* Chicago: Liturgy Training Publications, 1996, página 20.

Página 63, Austin Fleming, *Preparing for Liturgy.* Chicago: Liturgy Training Publications, 1997, página 106.

Página 65, Frederick R. McManus, *Sacramental Liturgy.* New York: Herder & Herder, 1967.

Página 65, Miguel Arias. Notas personales, 2000.

Página 67, Thomas G. Ryan, *El Manual de la Sacristía.* Baracaldo, Vizcaya y Chicago 2000: Coedición de Grafite Ediciones y Liturgy Training Publications, página 41.

Página 67, Pablo VI, tomado de su discurso al congreso nacional de comisiones de liturgia y arte sacro, 4 de enero de 1967, publicado en *Documents on the Liturgy.* Collegeville: The Liturgical Press, 1982, página 1356. Extractos de la traducción al inglés de Documents on the Liturgy, 1963-1979: Textos conciliares, papales y curiales, © 1982, ICEL. Todos los derechos reservados.

Página 67, Juan Pablo II, *Letter to Artists,* 6. Chicago: Liturgy Training Publications, 1999, página 7.

Página 69, Thomas O. Simons y James M. Fitzpatrick, *The Ministry of Liturgical Environment.* Collegeville: The Liturgical Press, 1984, página 15. Publicado con las licencias debidas.

Página 69, Austin Fleming, *Preparing for Liturgy.* Chicago: Liturgy Training Publications, 1997, página 130.

Página 73, Oscar Arnulfo Romero, *Día a día con Monseñor Romero, meditaciones para todo el año.* © Publicaciones pastorales del arzobispado. Arquidiócesis de San Salvador, El Salvador, C. A., 2000, página 195.

Página 71, Mark Searle, *Sunday Morning: A Time for Worship.* Collegeville: The Liturgical Press, 1982, página 8.

Página 75, Cardenal Joseph Louis Bernardin, *Guía para la Asamblea:* Chicago: Liturgy Training Publications, 1997, página 21.

Página 77, *Constitución sobre la Divina Revelación,* página 21, © 1993. Ciudad del Vaticano. Librería Editrice Vaticana. *Vaticano II Documentos,* Madrid: Biblioteca de Autores Cristianos: 1996, página 176.

Página 79, Abraham Joshua Heschel, *Man's Quest for God*. New York: Simon and Schuster, 1954. Publicado con las licencias debidas.

Página 81, Huub Oosterhuis, *Zomaar een dak boven wat hoofen*, "What is this Place?", traducido por David Smith. Textos y tipografía © 1967, Baarn, Holanda: Gooi en Sticht, bv. Todos los derechos reservados. Agente exclusivo para los países de habla inglesa: OCP Publications, 5536 NE Hassalo, Portland, OR 97213. Todos los derechos reservados. Publicado con las licencias debidas.

Página 83, Pierre Teilhard de Chardin, *The Divine Milieu*. New York: Harper and Row, 1957, 1960. Publicado con las licencias debidas.

Página 85, Nathan D. Mitchell y John K. Leonard, *The Postures of the Assembly during the Eucharistic Prayer*. Chicago: Liturgy Training Publications, 1994, páginas 78–79.

Página 87, Walter Burghardt, SJ, *Love is a Flame of the Lord: More Homilies on the Just Word*. New York: Paulist Press, 1995, página 73.

Página 89, Donald Trautman, *"Maranatha: Centrality of the Eucharist"*, publicado en Origins, volumen 23 (13 de enero de 1994).

Página 89, San Agustín, Sermón 272, traducido al inglés por Daniel Sheerin en el libro *The Eucharist*. Wilmington, DE: Michael Glazier, 1986.

Página 89, Christina Neff, iglesia de Saint Nicholás, Evanston, Illinois.

Página 91, Abraham Joshua Heschel, *Man's Quest for God*. New York: Simon and Schuster, 1954.

Página 91, William R. Crockett, *Eucharist: Symbol of Transformation*. New York: Pueblo, 1989, página 256. Publicado con las licencias debidas.

Página 95, *Normas Universales sobre el Año Litúrgico y sobre el Calendario*, 1. En *Los Documentos Litúrgicos: Un recurso pastoral*, Chicago: Liturgy Training Publications, 1998, página 125, © 1969. Librería Editrice Vaticana, ciudad del Vaticano, Congregación para el Culto Divino y la Disciplina de los Sacramentos.

Página 97, Virgilio Elizondo, *"Our Lady of Guadalupe Today, A Power unto Life"*, publicado en ¡Gracias! (Noviembre/Diciembre 1999).

Página 97, José Luis Martín Descalzo, *Vida y Ministerio de Jesús de Nazareth*, Salamanca: Sígueme, 1992, página 1250.

Página 99, Oscar A. Romero, homilía, 24 de diciembre de 1978. *Mons. Oscar A. Romero, su pensamiento*, Tomo VI. © Publicaciones pastorales del arzobispado. Arquidiócesis de San Salvador. El Salvador, C.A. 2000, página 71.

Página 99, Nathan Mitchel, publicado en *Liturgy*, vol. 1 no.2. Washington: The Liturgical Conference, 1980, © 1980 The Liturgical Conference, 8750 Georgia Ave., Sutie 123, Silver Spring, MD 20910-3621. Todos los derechos reservados. Publicado con las licencias debidas.

Página 101, Juan José Huitrado Rizo, *"Tradiciones hispanas de Cuaresma"*, publicado en ¡Gracias! (Enero–Febrero 1999).

Página 103, Karl Rahner, *The Great Church Year: The Best of Karl Rahner's Homilies, Sermons and Meditations*. New York: Cross Roads 1993, página 1992. Publicado con las licencias debidas.

Página 103, Dietrich Bonhoeffer, *I Loved this People*. Atlanta: John Knox Press, 1965. Publicado con las licencias debidas.

Página 105, Patrick Reagan, *"The Fifty Days and the Fiftieth Day"*, *Worship* (mayo de 1981). Páginas 197–198.

Página 105, Oscar A. Romero, textos escogidos por J. Brockman, SJ, *Así habla … Mons. O. Romero*. Santafé de Bogotá: Ediciones Paulinas, 1992, página 52.

Página 107, Mary Ellen Hynes, *Companion to the Calendar*. Chicago: Liturgy Training Publications, 1993, p.22.

Página 111, Oscar A. Romero, *Día a día con Monseñor Romero, Meditaciones para todo el año*. © Publicaciones pastorales del arzobispado. Arquidiócesis de San Salvador. El Salvador, C.A. 2000, página 122.

Página 111, Ignacio Larrañaga, *Encuentro, manual de oración*. Bogotá: Ediciones Paulinas, Calle 70, Número 23–31. Colombia. Página 113. Publicado con las licencias debidas.

Página 113, Richard Vega. Reflexiones personales, 2000.

Página 115, Oscar A. Romero, homilía, 23 de enero de 1980. *Mons. Oscar A. Romero, su pensamiento*. Tomo VIII. © Publicaciones pastorales del arzobispado. Arquidiócesis de San Salvador. El Salvador, C.A. 2000, página 138.

Página 117, Balthasar Fisher, *Signs, Words and Gestures*. Collegeville: The Liturgical Press, 1981. Publicado con las licencias debidas.

Página 119, Cana Conference of Chicago. *El amor nuestro de cada día*. Arquidiócesis de Chicago, 1997.

Página 121, Gerald Barnes, carta pastoral sobre la reconciliación. San Bernardino, CA, 2000.

Página 121, *Constitución pastoral sobre la Iglesia en el mundo actual*, 30. Madrid: Biblioteca de Autores Cristianos, 1996. Página 268, © 1965. Librería Editrice Vaticana, ciudad del Vaticano, Congregación para el Culto Divino y la Disciplina de los Sacramentos.

Página 123, Flannery O'Connor, "Letter to 'A,' June 28, 1956" en *Habit of Being*. New York: Vintage Books, 1979, page 163.

Página 123, Héctor Muñoz, OP, *"Cuidado pastoral de los enfermos"*, publicado en *¡Gracias!* (Julio – Agosto 1999).

Página 125, Miguel León Portilla, recopilador. *Estudios de Historia de la Filosofía en México*, México, D.F.: Universidad Nacional Autónoma de México. Páginas 23–56. Publicado con las licencias debidas.